#시험대비
#핵심정복

7일 끝
시험 대비
어휘 기초

Chunjae
Makes
Chunjae

[7일끝 고등 영어] 어휘

발행일   2021년 9월 15일 초판 2021년 9월 15일 1쇄
발행인   (주)천재교육
주소   서울시 금천구 가산로9길 54
신고번호   제2001-000018호
고객센터   1577-0902
교재 내용문의   (02)3282-8837

7일 끝으로 끝내자!

7

고등 영어 어휘

BOOK 1

이 책의 구성과 활용

일별 시험 공부

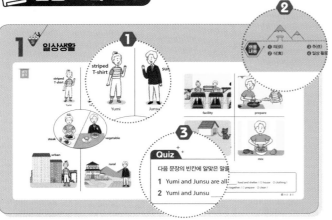

생각 열기 + 단어 미리 보기

만화와 함께 본격적인 공부에 앞서 학습 내용을 가볍게 짚고 넘어
갈 수 있습니다.

❶ 단어 미리 보기 | 오늘 학습에 필요한 단어 확인하기
❷ 배울 내용 | 오늘 공부할 학습 내용 확인하기
❸ Quiz | 간단한 퀴즈를 통해 기본적인 내용을 알고 있는지 확인
하기

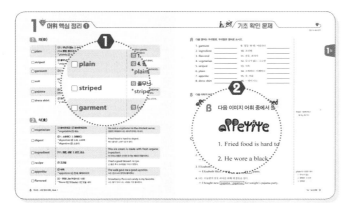

어휘 핵심 정리 + 기초 확인 문제

꼭 알아야 어휘 핵심 내용을 공부하고, 기초 확인 문제를 통해 잘 이
해했는지 꼼꼼히 확인할 수 있습니다.

❶ 어휘 핵심 정리 | 핵심 내용 공부하기
❷ 기초 확인 문제 | 어휘 핵심 정리 내용에 대한 기초 확인 문제
풀기

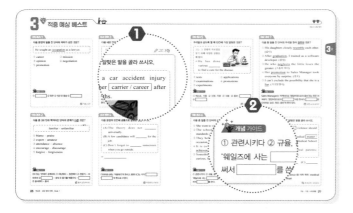

적중 예상 베스트

학교 시험 유형의 대표 예제를 연습하여 학교 시험에 효과적으로
대비할 수 있습니다.

❶ 기출 지문 활용 | 전국연합학력평가의 기출 지문을 활용하여
학교 시험 문제 유형 익히기
❷ 개념 가이드 | 빈칸을 채우며 문제를 푸는 데 도움이 되는 개념
확인하기

시험 공부 마무리 테스트

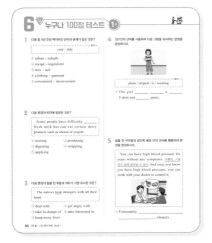

누구나 100점 테스트

아주 쉬운 예상 문제로 100점에 도전하여 시험
에 대한 자신감을 키울 수 있습니다.

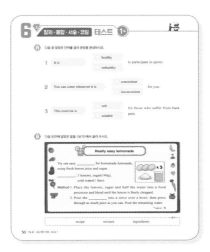

창의·융합·서술·코딩 테스트

쉽고 다양한 서술형 문제를 통해 어렵게 느껴지는
서술형 문제에 대한 자신감을 키울 수 있습니다.

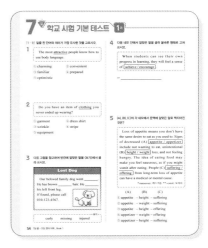

학교 시험 기본 테스트

학교 시험 유형의 예상 문제를 풀어 봄으로써
내신에 대한 자신감을 키울 수 있습니다.

시험 직전까지 챙겨야 할 부록

◈ 핵심 어휘 정리 총집합 카드

가장 중요한 핵심 어휘만 모아 카드 형식으로 수록하였습니다.
휴대하여 이동할 때나 시험 직전에 활용할 수 있습니다.

◈ 어휘 목록 / 어휘 테스트

5일 동안 학습한 어휘를 정리하고 테스트를 통해 확인할 수 있
도록 했습니다.

이 책의 **차례**

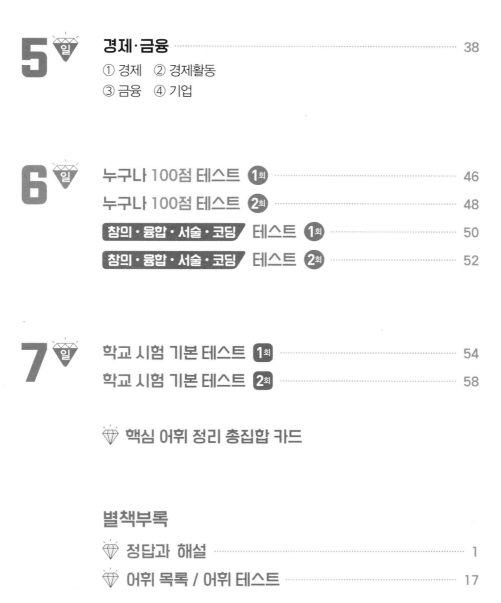

1 일상생활

생각
열기

striped T-shirt

Yumi

suit

Junsu

steak

vegetable

urban

rural

facility

prepare

delivery

mix

Quiz

다음 문장의 빈칸에 알맞은 말을 고르시오.

1 Yumi and Junsu are all different in _____, food and shelter. (① house   ② clothing)

2 Yumi and Junsu _____ their lunch together. (① prepare   ② clean)

답 1 ②   2 ①

1일 어휘 핵심 정리 ❶

1 의(依)

☐ **plain**	형 1. 무늬가 없는 2. 수수한 3. 명백한 명 4. 평원, 평지(종종 -s) *plainly 부 수수하게	Elizabeth likes to wear plain pants. Elizabeth는 무늬가 없는 바지를 즐겨 입는다.
☐ **striped**	형 줄무늬의 *stripe 명 줄무늬	He wore a black and white striped shirt. 그는 검정색과 흰색 줄무늬 셔츠를 입고 있었다.
☐ **garment**	명 (-s) 옷, 의류(clothing)	The queen always wears beautiful garments. 그 여왕은 항상 아름다운 옷을 입는다.
☐ **suit**	명 1. 정장, 한 벌 동 2. 어울리다 3. 적합하다 *suitable 형 적당한, 어울리는(fit)	The crown wore a gold suit. 그 광대는 황금색 정장을 입고 있었다. Long hair suits you. 긴 머리가 너에게 어울린다.
☐ **pajama**	명 (바지와 상의로 된) 잠옷, 파자마(항상 -s) [연어] a pajama party 파자마 파티	I bought new pajamas for tonight's pajama party. 나는 오늘밤의 잠옷 파티를 위해 새 잠옷을 샀다.
☐ **dress shirt**	명 와이셔츠 *y-shirt는 잘못된 표현이다.	He wore a grey suit and a white dress shirt. 그는 회색 정장에 흰색 와이셔츠를 입었다.

2 식(食)

☐ **vegetarian**	명 채식주의자 형 채식주의자의 *vegetable 명 채소	I'm not a vegetarian in the strictest sense. 엄밀한 의미에서 나는 채식주의자는 아니다.
☐ **digest**	동 1. 소화하다 2. 이해하다 *digestion 명 소화, 소화력 *digestive 형 소화의	Fried food is hard to digest. 튀긴 음식은 소화가 잘 안 된다.
☐ **ingredient**	명 1. 재료, 성분 2. 요인, 요소	This ice cream is made with fresh organic ingredient. 이 아이스크림은 신선한 유기농 재료로 만들어진다.
☐ **recipe**	명 조리법	I had a good dessert recipe. 난 좋은 후식 요리법을 가지고 있었다.
☐ **appetite**	명 식욕 *appetizer 명 전채, 애피타이저	The walk gave me a good appetite. 나는 걷고 나니 밥맛이 좋아졌다.
☐ **flavored**	형 ~ 맛이 나는(복합어로 사용) *flavor 명 맛(taste) 동 맛을 내다	Strawberry-flavored candy is my favorite. 나는 딸기 맛이 나는 사탕을 가장 좋아한다.

정답과 해설 2쪽

1_일

A 다음 영어는 우리말로, 우리말은 영어로 쓰시오.

1. garment _____
2. ingredient _____
3. flavored _____
4. vegetarian _____
5. striped _____
6. plain _____
7. appetite _____
8. dress shirt _____

9. 정장, 한 벌; 어울리다 _____
10. 조리법 _____
11. 잠옷, 파자마 _____
12. 무늬가 없는; 수수한 _____
13. 식욕 _____
14. 소화하다; 이해하다 _____
15. 옷, 의류 _____
16. ~ 맛이 나는 _____

B 다음 이미지 어휘 중에서 문맥에 가장 알맞은 것을 쓰시오.

1. Fried food is hard to _____.
2. He wore a black and white _____ shirt.
3. The walk gave me a good _____.

fried 기름에 튀긴
[동] fry 튀기다

C 다음 우리말에 맞도록 네모 안에서 알맞은 말을 고르시오.

1. 그는 회색 정장에 흰색 와이셔츠를 입었다.
   ➡ He wore a grey suit and a white Y-shirt / dress shirt .

2. 나는 딸기 맛이 나는 사탕을 가장 좋아한다.
   ➡ Strawberry- flavor / flavored candy is my favorite.

3. Elizabeth는 무늬가 없는 바지를 즐겨 입는다.
   ➡ Elizabeth likes to wear plain / plainly pants.

4. 나는 오늘밤의 잠옷 파티를 위해 새 잠옷을 샀다.
   ➡ I bought new pajama / pajamas for tonight's pajama party.

plain의 다양한 의미
  1. 무늬가 없는
  2. 평범한, 수수한
  3. 명백한

1일 어휘 핵심 정리 ❷

3 주(住)

☐ urban	톙 도시의 ↔ rural 시골의 cf. suburb 톙 교외의, 교외에 사는	Urban poverty has increased greatly. 도시 빈곤층이 크게 증가해 왔다.
☐ mansion	톙 대저택 cf. villa 톙 휴가용 주택, 별장	He has a beautiful mansion near the beach. 그는 해변에 아름다운 저택을 소유하고 있다
☐ reside	톥 거주하다, 살다(live, dwell) *resident 톙 거주자 톙 거주하는 *residence 톙 거주, 거처, 주소	I was born in New Delhi and reside in New York. 나는 뉴델리에서 태어났고 뉴욕에 거주하고 있다.
☐ convenient	톙 편리한 *convenience 톙 편리	AI devices makes our lives more convenient. 인공 지능 기기들은 우리의 생활을 더 편리하게 해 준다.
☐ facility	톙 (-ties) 편의, 시설 *facilitate 톥 용이하게 하다, 촉진하다	You can use the facilities in this school. 여러분은 이 학교의 시설을 이용할 수 있다.
☐ location	톙 장소, 위치 *locate 톥 ~의 위치를 찾아내다. 두다	Jim showed me our location in the map. Jim은 내게 우리가 있는 위치를 지도 위에서 가리켜 보였다.

4 일상 활동

☐ delivery	톙 배달 *deliver 톥 1. 배달하다 2. 의견을 말하다 3. 출산하다	We offer customers a free home delivery service. 저희는 고객 분들께 무료로 자택 배달을 해 드립니다.
☐ sweep	톥 쓸다, 청소하다 *sweeper 톙 청소부	My father had me sweep the floor. 아빠는 내게 바닥을 쓸라고 시키셨다.

☐ polish	톥 (윤이 나게) 닦다, 광을 내다
	cf. scrub 문질러 닦아내다
	    wipe (물기, 오물을) 닦아내다
	    mop (자루걸레로) 닦아내다
		He spent an hour polishing his car.
		그는 한 시간 동안 윤이 나도록 차를 닦았다.

☐ neat	톙 단정한, 깔끔한(tidy)	His desk is always neat and tidy. 그의 책상은 항상 정리 정돈되어 있다.
☐ prepare	톥 준비하다 *preparation 톙 준비	Let's prepare special dishes for the party. 파티를 위해 특별한 요리를 준비하자.
☐ mix	톥 섞다, 혼합하다 *mixture 톙 혼합, 혼합물	Mix the sand and cement together. 모래와 시멘트를 함께 섞어라.

A 다음 영어는 우리말로, 우리말은 영어로 쓰시오.

1. polish	_____	9. 준비하다	_____
2. reside	_____	10. 장소, 위치	_____
3. delivery	_____	11. 단정한, 깔끔한	_____
4. convenient	_____	12. 편의, 시설	_____
5. urban	_____	13. 배달	_____
6. facility	_____	14. 편리	_____
7. sweep	_____	15. 거주; 주소	_____
8. mansion	_____	16. 닦다, 광을 내다	_____

B 다음 이미지 어휘 중에서 문맥에 가장 알맞은 것을 쓰시오.

polish   urban   sweep

1. He spent an hour _____ing his car.

2. _____ poverty has increased greatly.

3. My father had me _____ the floor.

spend (시간이나 돈을) 쓰다, 소비하다
poverty 가난, 빈곤
increase 늘다, 증가하다

C 우리말에 맞도록 다음 문장의 빈칸에 알맞은 말을 쓰시오.

1. 여러분은 이 학교의 시설을 이용할 수 있다.
   ➡ You can use the _____ in this school.

2. 저희는 고객 분들께 무료로 자택 배달을 해 드립니다.
   ➡ We offer customers a free home _____ service.

3. 나는 뉴델리에서 태어났고 뉴욕에 거주하고 있다.
   ➡ I was born in New Delhi and _____ in New York.

4. 모래와 시멘트를 함께 섞어라.
   ➡ _____ the sand and cement together.

offer 제공하다
customer 고객, 단골손님

대표 예제 1

다음 문장의 빈칸에 알맞지 <u>않은</u> 것은?

> Ancient Romans found lead _____, but it threatened their health.

① easy
② useful
③ handy
④ neat
⑤ convenient

✦ 개념 가이드

'고대 로마인들은 납이 [　　　]는 것을 알았다'의 의미로 목적격 보어로 형용사가 쓰였다. [　　　]는 '단정한, 깔끔한'이라는 뜻이므로 내용상 어색하다.

🅐 편리하다, neat

대표 예제 2

다음 중 〈보기〉와 짝지어진 단어의 관계가 같은 것은?

> • 보기 •
>
> digest – digestive

① facilitate – facility
② sweep – sweeper
③ plain – plainly
④ suit – suitable
⑤ mix – mixture

✦ 개념 가이드

〈보기〉는 '동사(소화하다) – [　　　](소화의)'의 관계이다.
① 동사 – 명사 ② 동사 – 명사 ③ 형용사 – 부사 ④ 동사 – [　　　] ⑤ 동사; 명사 – 명사

🅐 형용사, 형용사

대표 예제 3

다음 네모 안에서 문맥에 알맞은 말을 골라 쓰시오.

> Coconut is a basic | ingredient / component | for many curries.

➡ _____

✦ 개념 가이드

'재료'를 가리킬 때에는 [　　　]를 쓰고, '부품, 구성 성분'을 가리킬 때에는 [　　　]를 쓴다.

🅐 ingredient, component

대표 예제 4

다음 문장의 빈칸에 공통으로 알맞은 말을 쓰시오.

> (A) You can adopt more efficient ways to _____ meals.
> (B) You should be _____d to make your vision conform to the new reality. ✏ 고1 9월
> (C) I had no time to _____.

➡ _____

✦ 개념 가이드

빈칸에는 동사가 와야 하고 '[　　　], 대비하다'의 뜻이 알맞다. '준비'라는 뜻의 명사형은 [　　　]이다.

🅐 준비하다, preparation

1일

대표 예제 5

다음 문장의 빈칸에 가장 알맞은 것은?

> A healthy _____ diet is mainly a diet of fruits, vegetables, whole grains, nuts and seeds.

① hand
② vegetarian
③ low-sugar
④ liquid-only
⑤ protein-shake

개념 가이드

'과일, 채소, 곡물류, 견과류, 씨앗 등의 식단'은 채식 위주이므로 ☐☐☐☐ diet를 말한다. '물만 마시는 식이요법'은 ☐☐☐☐ diet로 쓴다.
답 vegetarian, liquid-only

대표 예제 7

다음 중 단어의 우리말 뜻이 바르지 <u>않은</u> 것은?

① plain: 무늬가 화려한
② striped: 줄무늬의
③ neat: 단정한
④ flavor: 맛을 내다
⑤ facilitate: 용이하게 하다

개념 가이드

'명백한'의 뜻도 있지만 다의어로 ☐☐☐☐ 은 '수수한, ☐☐☐☐'의 의미이다. '무늬가 화려한'은 colorful이나 fancy 를 쓴다.
답 plain, 무늬가 없는

대표 예제 6

다음 중 밑줄 친 단어의 쓰임이 <u>어색한</u> 것은?

① Students are <u>sweeping</u> the dust off the floor.
② City Hall moved to its present <u>attitude</u> two months ago.
③ The customer complained about late <u>delivery</u>.
④ I found a good dessert <u>recipe</u> in a cookbook.
⑤ The upgrade of public <u>facilities</u> will begin next Monday.

개념 가이드

'시청은 두 달 전에 현재 ☐☐☐☐ 로 이전해 왔다.'라는 뜻으로 '위치, 장소'를 뜻하는 ☐☐☐☐ 을 쓴다.
답 위치, location

대표 예제 8

✎ 고1 9월 응용

(A), (B)의 각 네모에서 알맞은 말을 골라 쓰시오.

> (A) [Garments / Papers] are manufactured using toxic chemicals and then (B) [presented / transported] around the globe, making the fashion industry the world's second-largest polluter, after the oil industry.

(A) _____

(B) _____

개념 가이드

(A) fashion industry로 알 수 있듯이 ☐☐☐☐ 가 알맞다.
(B) presented: 주었다 / transported: ☐☐☐☐
답 Garments, 운반되었다

2 신체·건강

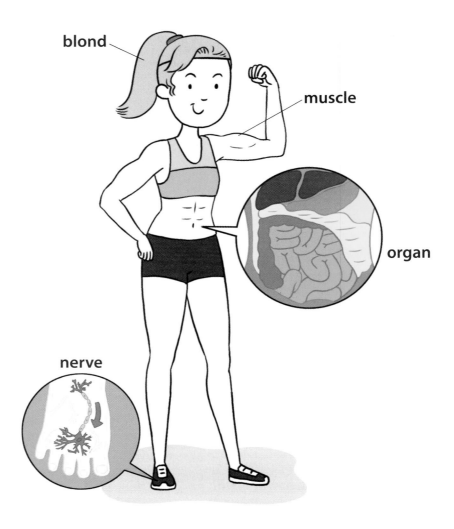

blond

muscle

organ

nerve

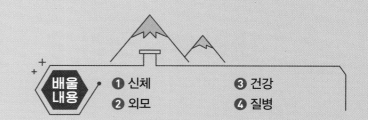

curly

headache

slim

weight

Quiz

다음 문장의 빈칸에 알맞은 말을 고르시오.

1 She maintains her _____ figure. (① blond ② slim)

2 She was very helpful when my mother was _____ . (① sick ② treat)

답 1 ② 2 ①

1 신체

☐ muscle	명 근육 *muscular 형 근육의, 근육질의	Do yoga to relax tense muscles. 긴장한 근육을 풀기 위해 요가를 해라.
☐ bone	명 뼈; (-s) 뼈대, 골격 cf. flesh 명 살	A deficiency of vitamin D makes bones weak. 비타민 D의 결핍은 뼈를 약하게 만든다.
☐ nerve	명 신경; 긴장; (보통 -s) 용기, 대담 *nervous 형 신경의; 긴장한, 초조한	This continuous rain is getting on my nerves. 계속되는 비 때문에 짜증이 난다.
☐ blood	명 피, 혈액 *bloody 형 피의, 피투성이의 *bleed 동 피를 흘리다(-bled-bled)	I often visit the Blood Donor Center to donate blood. 나는 헌혈을 하기 위해서 종종 헌혈의 집을 방문한다.
☐ wrinkle	명 주름살; 구김살 동 주름이 생기다 *wrinkled 형 주름진	People get wrinkles on their faces as they grow old. 사람들은 나이가 들어감에 따라 얼굴에 주름이 생긴다.
☐ organ	명 1. (인체의) 장기 2. (파이프) 오르간 *organic 형 1. (인체의) 장기의 2. 유기체의 3. 유기농의	Internal organs include the heart, stomach, lungs, and so on. 내장에는 심장, 위, 폐 등이 포함된다.

2 외모

☐ slim	형 날씬한(slender, thin), 가느다란 ↔ fat, overweight 살찐	She looks tall because she is so slim. 그녀는 몸이 매우 홀쭉해서 키가 커 보인다.
☐ weight	명 체중, 무게 *weigh 동 무게를 달다 cf. height 명 키, 신장; 높이	It's important to maintain your current weight. 현재 네 몸무게를 유지하는 것이 중요하다.
☐ attractive	형 매력적인, 멋진 *attraction 명 매력, 끌림 *attract 동 끌어당기다, 매혹하다	The smile of Mona Lisa is attractive. 모나리자의 미소는 매력적이다.
☐ blond(e)	형 금발의 명 금발을 한 사람 cf. brown 형 갈색의, silver 형 은색의	She has long wavy blond hair and blue eyes. 그녀는 곱슬곱슬한 긴 금발에다 파란 눈이다.
☐ curly	형 곱슬곱슬한(wavy) ↔ straight 직모의	My father has curly silver hair. 나의 아버지는 곱슬곱슬한 은발 머리를 하고 계신다.
☐ bald	형 대머리의, 머리가 벗겨진 *[혼동어] bold 형 대담한	I'm afraid I'm going bald like my grandfather. 나는 할아버지처럼 대머리가 될까 봐 두렵다.

정답과 해설 3쪽

A 다음 영어는 우리말로, 우리말은 영어로 쓰시오.

1. curly _____
2. muscle _____
3. organ _____
4. attractive _____
5. nerve _____
6. wrinkle _____
7. weight _____
8. blond _____

9. 뼈; 뼈대, 골격 _____
10. 신경; 긴장 _____
11. 날씬한, 가느다란 _____
12. 머리가 벗겨진 _____
13. 근육 _____
14. 장기; 오르간 _____
15. 체중, 무게 _____
16. 피, 혈액 _____

B 다음 이미지 어휘 중에서 문맥에 가장 알맞은 것을 쓰시오.

attractive   wrinkle   nerve

1. This continuous rain is getting on my _____s.

2. The smile of Mona Lisa is _____.

3. People get _____s on their faces as they grow old.

continuous 계속되는
get on the _____ 짜증이 나다

grow old 늙어가다

C 다음 우리말에 맞도록 네모 안에서 알맞은 말을 고르시오.

1. 나는 헌혈을 하기 위해서 종종 헌혈의 집을 방문한다.
   ➡ I often visit the Blood Donor Center to donate blood / bleed .

2. 나는 할아버지처럼 대머리가 될까 봐 두렵다.
   ➡ I'm afraid I'm going bold / bald like my grandfather.

3. 내장에는 심장, 위, 폐 등이 포함된다.
   ➡ Internal organs / organics include the heart, stomach, lungs, and so on.

4. 그녀는 몸이 매우 홀쭉해서 키가 커 보인다.
   ➡ She looks tall because she is so slim / fat .

donate 기부하다

like ~처럼

internal 체내의
stomach 배, 복부
lung 폐, 허파
and so on 기타 등등

3 건강

☐ **response**	명 반응; 응답 *respond 동 반응하다, 대답하다	I knocked on the door but there was no response. 내가 문을 두드렸으나 대답이 없었다.
☐ **mental**	형 정신의, 마음의 ↔ physical 육체의, 물질적인 *mentally 부 정신적으로 ↔ physically	Images are mental pictures showing ideas and experiences. 이미지는 생각과 경험을 보여주는 심상(마음속 그림)이다.
☐ **sniff**	동 코를 훌쩍이다; 냄새를 맡다 명 코를 훌쩍이기, 냄새 맡기	The dog tried to sniff the little boy's candy. 그 개는 어린 소년의 사탕 냄새를 맡으려고 했다.
☐ **sneeze**	동 재채기를 하다 명 재채기 cf. cough 동 기침을 하다 명 기침	When you sneeze or yawn, you have to cover your mouth with your hands. 재채기나 하품을 할 때, 손으로 입을 가려야 한다.
☐ **painful**	형 아픈, 고통스러운 ↔ painless 고통이 없는 *pain 명 고통; (-s) 수고 cf. sore 형 따가운	A bee sting is painful but not necessarily serious. 벌에 쏘인 상처는 아프긴 하지만 꼭 심각하지는 않다.
☐ **healthy**	형 건강한, 건강에 좋은 ↔ unhealthy 건강하지 못한, 유해한	Eat healthy food and exercise more. 건강에 좋은 음식을 먹고 운동을 좀 더 해라.

4 질병

☐ **illness**	명 병, 아픔, 질환 *ill 형 아픈, 병든(sick)	Jane recovered from her illness. Jane은 병에서 회복되었다.
☐ **pressure**	동 압력, 압박, 스트레스 *press 동 누르다 [연어] blood pressure 혈압	Her blood pressure is stable. 그녀의 혈압은 안정적이다.
☐ **suffer**	동 (질병, 슬픔 등에) 고통 받다, 겪다 [연어] suffer an injury 부상을 당하다	I suffered an injury to my left foot. 나는 왼쪽 발에 부상을 당했다.
☐ **treat**	동 1. 치료하다(cure) 2. 다루다 3. 대접하다 *treatment 명 치료; 처리; 대접	The doctor treated the sick child. 의사가 아픈 아이를 치료했다.
☐ **injure**	동 부상당하다 *injury 명 부상 *injured 형 부상당한	Susan injured her elbow in a tennis match. Susan은 테니스 경기에서 팔꿈치를 다쳤다.
☐ **ache**	동 아프다 명 아픔 *headache 명 두통 *stomachache 명 복통	My joints start to ache when it starts getting cold. 날씨가 추워지기 시작하면 내 관절이 아프기 시작한다.

2일

A 다음 영어는 우리말로, 우리말은 영어로 쓰시오.

1. healthy _____
2. sneeze _____
3. treat _____
4. illness _____
5. injure _____
6. painful _____
7. ache _____
8. mental _____

9. 고통 받다, 겪다 _____
10. 반응; 응답 _____
11. 압력, 스트레스 _____
12. 코를 훌쩍이다 _____
13. 건강하지 못한 _____
14. 기침을 하다 _____
15. 치료; 처리; 대접 _____
16. 부상 _____

B 다음 이미지 어휘 중에서 문맥에 가장 알맞은 것을 쓰시오.

Suffer   Sniff   response

1. I knocked on the door but there was no _____.

2. I _____ed an injury to my left foot.

3. The dog tried to _____ the little boy's candy.

knock (문을) 두드리다

C 다음 우리말에 맞도록 네모 안에서 알맞은 말을 고르시오.

1. 건강에 좋은 음식을 먹고 운동을 좀 더 해라.
   ➡ Eat ⌐healthy / unhealthy⌐ food and exercise more.

2. Susan은 테니스 경기에서 팔꿈치를 다쳤다.
   ➡ Susan ⌐cured / injured⌐ her elbow in a tennis match.

cure 치료하다
elbow 팔꿈치

3. 이미지는 생각과 경험을 보여주는 심상(마음속 그림)이다.
   ➡ Images are ⌐mental / physical⌐ pictures showing ideas and experiences.

image 이미지
experience 경험

4. 그녀의 혈압은 안정적이다.
   ➡ Her blood ⌐press / pressure⌐ is stable.

stable 안정적인

대표 예제 1

다음 문장의 빈칸에 알맞은 것은?

> The majority of _____ are due to sunlight.

① bones
② bloods
③ wrinkles
④ pains
⑤ illnesses

개념 가이드

① 뼈, 뼈대 ② 피, 혈액 ③ [　　　] ④ 고통 ⑤ [　　　]

답 주름살, 병

대표 예제 2

다음 중 〈보기〉와 짝지어진 단어의 관계가 <u>다른</u> 것은?

> ● 보기 ●
> health – healthy

① pain – painful
② injury – injured
③ blood – bloody
④ illness – ill
⑤ treat – treatment

개념 가이드

〈보기〉는 '명사(건강) – 형용사(건강한, 건강에 좋은)'의 관계이다. ①~④는 모두 '명사 – 형용사' 관계이고 ⑤는 '치료하다 – [　　　]'의 뜻으로 '동사 – [　　　]' 관계이다.

답 치료, 명사

대표 예제 3

다음 네모 안에서 문맥에 알맞은 말을 골라 쓰시오.

> A quicker [response / change] time by firefighters will minimize damage caused by fires.

➡ _____

개념 가이드

화재시 손실을 최소화할 수 있는 것은 빠른 '대응 시간'이므로 [　　　] time을 쓴다. change는 '[　　　]'라는 뜻으로 부자연스럽다.

답 response, 변화

대표 예제 4

다음 문장의 빈칸에 공통으로 알맞은 말을 쓰시오.

> (A) The injured received medical _____ment.
> (B) She's consistent in the way she _____s others.
> (C) Many types of medicines are used to _____ anxiety disorders.

➡ _____

개념 가이드

다의어로 (A)는 '치료'의 뜻인 명사로 쓰였고, (B)와 (C)는 각각 '[　　　]', '[　　　]'의 뜻인 동사로 쓰였다.

답 대하다(대접하다), 치료하다

대표 예제 5

우리말과 같도록 할 때 빈칸에 가장 알맞은 것은?

케이팝 콘서트는 전 세계의 많은 젊은 음악 애호가들을 매료시킨다.

➡ K-pop concerts _____ lots of young music lovers around the world.

① enjoy ② attract ③ treat
④ pull ⑤ attempt

개념 가이드

'매료시키다, 매혹하다'라는 뜻의 단어는 [_____]를 쓴다. '매력적인'이라는 뜻의 형용사는 [_____]를 쓴다.

답 attract, attractive

대표 예제 6

다음 중 밑줄 친 단어의 쓰임이 어색한 것은?

① After finishing her introduction, she tried to calm her <u>nerves</u>.
② The mouse is <u>bald</u> enough to fight with the lion.
③ The liver is an internal <u>organ</u>.
④ To <u>attract</u> customer's attention, I put up four posters.
⑤ I recognized him by his <u>curly</u> hair.

개념 가이드

bald는 '[_____]'라는 뜻이므로 '용감한, 대담한'을 뜻하는 [_____]를 써야 한다. ① 긴장 ② 대머리의 ③ 장기; 기관 ④ 마음을 끌다 ⑤ 곱슬곱슬한

답 대머리의, bold

대표 예제 7

다음 중 밑줄 친 단어의 우리말 뜻이 잘못된 것은?

① The dog buried the <u>bone</u> in the yard. (뼈)
② This soil is fertile enough to grow big <u>healthy</u> tomatoes. (건강에 좋은)
③ Smurfette is pretty and has long <u>blond</u> hair. (금발의)
④ The ice is too thin to bear your <u>weight</u>. (키)
⑤ She's been suffering from terrible <u>headaches</u>. (두통)

개념 가이드

④에서 weight는 '[_____]'이고 '키'는 [_____]이다. ⑤에서 '신체 부위+-ache'는 '~통'의 뜻으로 '치통'은 toothache이고, '복통'은 stomachache이다.

답 체중, height

대표 예제 8

✎고1 6월 모의

(A), (B), (C)의 각 네모에서 알맞은 말을 골라 쓰시오.

(A) Dogs [sniff / sneeze] and smell everything.
(B) I have [cured / suffered] from a lack of sleep.
(C) Our [muscles / muscular] use even more of our energy, about a quarter of the total, but we have a lot of muscles.

(A) _____ (B) _____ (C) _____

개념 가이드

(A) 킁킁거리고 냄새를 맡다: [_____] and smell (B) ~을 겪다: [_____] from (C) Our ___가 주어이므로 Our 다음에 명사가 온다.

답 sniff, suffer

3 가정 · 사회생활

Home

resemble

relative

discipline

experiment

김○○

attendance

School

OO고등학교 졸업

graduation

Society

forgive

apply

neglect

engage

celebrate

100일

promotion

3일 어휘 핵심 정리 ❶

1 가정

☐ **domestic**	형 1. 가정용의 2. 국내의 3. 길들여진 [연어] domestic violence 가정 폭력	They agreed to amend the law on domestic violence. 그들은 가정 폭력에 관한 법률을 개정하는 데 동의했다.
☐ **relative**	명 친척(relation) 형 관련된, 비교적인 *relate 동 관련시키다 *relatively 부 비교적	A close relative lives in Namwon. 가까운 친척 한 분이 남원에 사신다.
☐ **resemble**	동 닮다, 유사하다(수동태나 진행형으로 쓰이지 않음) *resemblance 명 닮음, 유사함	The twin sisters closely resemble their mother. 쌍둥이 자매들은 그들의 엄마를 꼭 닮았다.
☐ **adopt**	동 1. 입양하다 2. 채택하다 3. (방식을) 쓰다 *adoption 명 1. 입양 2. 채택 [혼동어] adapt 동 적응하다; 각색하다	Mr. and Mrs. Grey decided to adopt the baby boy. Grey 씨 부부는 그 남자 아기를 입양하기로 결정했다.
☐ **encourage**	동 용기를 북돋우다, 격려하다 ↔ discourage 동 단념시키다 *encouragement 명 격려, 권장	My parents always encourage me. 나의 부모님은 언제나 나를 격려해 주신다.
☐ **discipline**	명 규율 동 훈육하다, 징계하다	Too much discipline has a bad effect on children. 너무 많은 훈육은 아이들에게 나쁜 영향을 준다.

2 학교

☐ **attendance**	명 출석, 참석 ↔ absence 결석 *attend 동 참석하다; 주의를 기울이다	The teacher checked the students' attendance. 선생님이 학생들의 출석을 점검했다.
☐ **experiment**	명 실험 동 실험을 하다	This experiment will prove the theory right. 이 실험은 그 이론이 옳다는 것을 입증할 것이다.
☐ **degree**	명 1. 학위 2. (온도계의) 도 3. 수준, 정도 [연어] a master's degree 석사 학위	My older brother got a master's degree in chemistry. 나의 오빠는 화학 석사 학위를 받았다.
☐ **education**	명 교육 *educate 동 교육하다 *educated 형 교양 있는, 학식 있는	It's important for children to get a good education. 아이들이 좋은 교육을 받는 것은 중요하다.
☐ **achievement**	명 성취, 업적 *achieve 동 성취하다, 이루다	Happiness lies in the joy of achievement and the thrill of creative effort. 행복은 성취의 기쁨과 창조적 노력이 주는 쾌감 속에 있다.
☐ **graduation**	명 졸업 *graduate 동 졸업하다 명 졸업생	All participants wore a black graduation cap and gown. 모든 참석자는 검은색 졸업모와 가운을 입고 있었다.

A 다음 영어는 우리말로, 우리말은 영어로 쓰시오.

1. experiment _____
2. discipline _____
3. encourage _____
4. achievement _____
5. relative _____
6. domestic _____
7. adopt _____
8. attendance _____

9. 결석 _____
10. 교육 _____
11. 규율; 훈육하다 _____
12. 가정용의; 국내의 _____
13. 졸업생 _____
14. 입양하다; 채택하다 _____
15. 학위; (온도계의) 도 _____
16. 닮다, 유사하다 _____

B 다음 이미지 어휘 중에서 문맥에 가장 알맞은 것을 쓰시오.

education   resemble   relative

1. The twin sisters closely _____ their mother.

2. A close _____ lives in Namwon.

3. It's important for children to get a good _____.

twin 쌍둥이
closely 꼭, 근접하게

C 다음 우리말에 맞도록 네모 안에서 알맞은 말을 고르시오.

1. 나의 오빠는 화학 석사 학위를 받았다.
   ➡ My older brother got a master's | degree / grade | in chemistry.

master 석사
chemistry 화학

2. 너무 많은 훈육은 아이들에게 나쁜 영향을 준다.
   ➡ Too much | teaching / discipline | has a bad effect on children.

have an bad effect on
~에 나쁜 영향을 미치다

3. Grey씨 부부는 그 남자 아기를 입양하기로 결정했다.
   ➡ Mr. and Mrs. Grey decided to | adopt / adapt | the baby boy.

decide 결정하다

4. 행복은 성취의 기쁨과 창조적 노력이 주는 쾌감 속에 있다.
   ➡ Happiness lies in the joy of | achieve / achievement | and the thrill of creative effort.

creative 창조적인
effort 노력

3^일 어휘 핵심 정리 ❷

3 인간관계

☐ familiar	형 친숙한, 잘 알려진, 낯익은 ↔ unfamiliar 익숙하지 않은, 낯선 *familiarity 명 친숙함, 허물없음	I'm not familiar with Mexican food. 나는 멕시코 음식에 익숙하지 않다.
☐ forgive	동 용서하다(pardon) (–forgave–forgiven) *forgiveness 명 용서	Forgive me for breaking my promise. 약속을 못 지킨 것을 용서해 줘.
☐ neglect	동 무시하다, 소홀히 하다 명 무시, 태만 *neglectful 형 소홀한, 태만한	Young people tend to neglect their health. 젊은이들은 건강을 등한시하는 경향이 있다.
☐ blame	동 비난하다, 탓하다(criticize) 명 비난 ↔ praise 칭찬하다	People often blame others for their own mistakes. 사람들은 종종 자신의 실수를 남의 탓으로 돌린다.
☐ liar	명 거짓말쟁이 *lie 동 거짓말하다(tell a lie) 명 거짓말	I discovered that he was a liar. 나는 그가 거짓말쟁이라는 것을 알게 되었다.
☐ celebrate	동 축하하다, 기념하다 *celebration 명 축하	We celebrated our first wedding anniversary. 우리는 우리의 첫 번째 결혼기념일을 축하했다.

4 일 · 직업

☐ occupation	명 직업(job); 점령 *occupy 동 차지하다, 점령하다	He doesn't have a regular occupation. 그는 일정한 직업이 없다.
☐ career	명 경력, 이력; 직업, 진로 [연어] a career woman (전문) 직업 여성	My aunt started her career as a clerk. 우리 숙모는 점원으로 경력을 시작했다.
☐ apply	동 1. 지원하다, 신청하다 2. 적용하다 3. (약을) 바르다 *application 명 지원, 신청; 적용 *applicant 명 지원자	If you want to apply for this job, fill out the application form. 이 일에 지원하고 싶으면, 지원서를 작성하세요.
☐ engage	동 1. 종사하다, 참여하다 2. (주의를) 끌다 3. 약혼하다 *engagement 명 고용; 약혼	All students must engage in volunteer work. 모든 학생이 자원봉사에 참여해야 한다.
☐ promotion	명 1. 승진 2. 촉진 3. 홍보 *promote 동 승진시키다; 홍보하다	The promotion marked a turning point in her career. 그 승진은 그녀의 경력에서 하나의 전환점이 되었다.
☐ expert	명 전문가 형 전문가의, 숙련된 ↔ amateur 명 아마추어 *expertise 명 전문적인 지식	We employ an expert to advise on new technology. 우리는 신기술에 대한 자문을 해 줄 전문가를 고용한다.

정답과 해설 5쪽

A 다음 영어는 우리말로, 우리말은 영어로 쓰시오.

1. celebrate	_____	9. 거짓말하다	_____
2. occupation	_____	10. 용서하다	_____
3. promotion	_____	11. 칭찬하다	_____
4. career	_____	12. 무시하다; 무시	_____
5. apply	_____	13. 친숙한, 잘 알려진	_____
6. blame	_____	14. 승진하다; 홍보하다	_____
7. liar	_____	15. 지원; 신청	_____
8. neglect	_____	16. 경력; 직업	_____

B 다음 이미지 어휘 중에서 문맥에 가장 알맞은 것을 쓰시오.

1. People often _____ others for their own mistakes.

2. If you want to _____ for this job, fill out the application form.

3. I'm not _____ with Mexican food.

own 자신의
mistake 실수
fill out 작성하다
application form 지원서

C 다음 우리말에 맞도록 네모 안에서 알맞은 말을 고르시오.

1. 젊은이들은 건강을 소홀히 하는 경향이 있다.
   ➡ Young people tend to [risk / neglect] their health.

tend to ~하는 경향이 있다

2. 우리는 신기술에 대한 자문을 해 줄 전문가를 고용한다.
   ➡ We employ an [expert / expertise] to advise on new technology.

advise 충고하다
technology 기술

3. 약속을 못 지킨 것을 용서해 줘.
   ➡ [Forgive / Forget] me for breaking my promise.

break one's promise 약속을 깨다

4. 모든 학생이 자원봉사에 참여해야 한다.
   ➡ All students must [finish / engage] in volunteer work.

volunteer 자원봉사의

대표 예제 1

다음 문장의 밑줄 친 단어와 의미가 같은 것은?

He sought an occupation as a lawyer.

① career
② mission
③ opinion
④ negotiation
⑤ promotion

개념 가이드

① [ ] ② 임무 ③ 의견 ④ 협상 ⑤ [ ]

답 직업, 승진

대표 예제 2

다음 중 〈보기〉와 짝지어진 단어의 관계가 다른 것은?

● 보기 ●
familiar – unfamiliar

① blame – praise
② expert – amateur
③ attendance – absence
④ encourage – discourage
⑤ forgive – forgiveness

개념 가이드

〈보기〉는 '반의어' 관계이다. ① 비난하다 – 칭찬하다 ② 전문가 – 아마추어 ③ [ ] – 결석 ④ 용기를 북돋우다 – [ ]
⑤ 용서하다 – 용서

답 출석, 단념시키다

대표 예제 3

✎ 고1 3월

다음 네모 안에서 문맥에 알맞은 말을 골라 쓰시오.

Unfortunately, a car accident injury forced her to end her carrier / career after only eighteen months.

➡ _____

개념 가이드

carrier는 carry(운반하다)의 명사형으로 '수송, [ ]'의 뜻이고, career는 '경력; [ ]'의 뜻으로 철자가 다름에 유의한다.

답 운반자, 직업

대표 예제 4

다음 문장의 빈칸에 공통으로 알맞은 말을 쓰시오.

(A) The theory does not _____ universally.
(B) A few candidates will _____ for the job.
(C) Don't forget to _____ sunscreen when you go outside.

➡ _____

개념 가이드

다의어로 (A)는 '적용하다'의 뜻이고, (B)와 (C)는 각각 '[ ],' '[ ]'의 뜻으로 쓰였다.

답 지원하다, 바르다

3일

대표 예제 5

우리말과 같도록 할 때 빈칸에 가장 알맞은 것은?

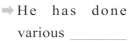

그는 그 질병의 치료법을 찾기 위해 다양한 실험을 해 왔다.

➡ He has done various _____ to find a cure for the disease.

① tests
② applications
③ examinations
④ promotions
⑤ experiments

개념 가이드

① 테스트, 시험 ② 신청, 지원 ③ 시험 ④ 홍보;
⑤

답 승진, 실험

대표 예제 6

다음 중 밑줄 친 단어의 쓰임이 어색한 것은?

① She went to visit relates in Wales.
② The school has a reputation for high standards of discipline.
③ They held a festival to celebrate the occasion.
④ It is considered one of the greatest achievements of all time.
⑤ Something mysterious happened in his curious, fully engaged mind.

개념 가이드

① 관련시키다 ② 규율, 훈육 ③ 축하하다 ④ 성과, 업적 ⑤ 몰두한
'웨일즈에 사는 _____ 을 방문하다'라는 뜻이므로 복수형을
써서 _____ 를 쓴다.

답 친척들, relatives

대표 예제 7

다음 중 밑줄 친 단어의 우리말 뜻이 잘못된 것은?

① His daughters closely resemble each other. (닮다)
② After graduation, I trained as a software developer. (졸업)
③ He who neglects the little loses the greater. (소홀히 하다)
④ Her promotion to Sales Manager took everyone by surprise. (홍보)
⑤ I can't exclude the possibility that she is a liar. (거짓말쟁이)

개념 가이드

Sales Manager는 직책이므로 '영업부장으로의 홍보'라는 뜻은 어색하다. '영업부장으로의 _____ '이란 뜻이다. _____ 은 다의어로 '승진; 촉진; 홍보'의 뜻이 있다.

답 승진, promotion

대표 예제 8

(A), (B), (C)의 각 네모에서 알맞은 말을 골라 쓰시오.

(A) Domestic / Foreign violence should not be a taboo subject.

(B) Jemison received her medical master / degree from Cornell Medical School in 1981. 고1 9월 모의

(C) They are not my real parents; I'm adapted / adopted .

(A) _____ (B) _____ (C) _____

개념 가이드

(A) 가정 폭력: _____ violence (B) 의학 학위: medical
_____ (C) 입양하다: adopt

답 domestic, degree

4 _일 성격·태도·어조, 분위기

생각 열기

patient / impatient

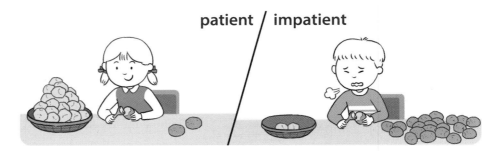

optimistic / pessimistic

polite / rude

outgoing / shy

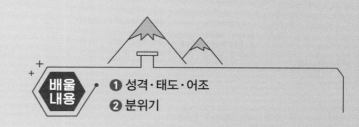
lively

lonely

dreadful

crowded

anxious

sorrowful

Quiz

다음 문장의 빈칸에 알맞은 말을 고르시오.

1 It was difficult for me to make new friends because I'm not an _____ person.
(① shy   ② outgoing)

2 The souvenir shop was _____ with a lot of Chinese tourists. (① crowded   ② quiet)

 1 ② 2 ①

1 성격·태도·어조

☐ **outgoing**	형 외향적인, 사교적인(sociable) ↔ shy 수줍어하는	This job is suitable for an outgoing person. 이 일은 외향적인 사람에게 적합하다.
☐ **timid**	형 겁이 많은, 소심한(cowardly) ↔ courageous, brave 용감한	There are people who look brave but are actually timid. 용감해 보이지만 실제로는 겁이 많은 사람들이 있다.
☐ **polite**	형 공손한, 예의 바른(courteous) ↔ rude 무례한 *politely 부 예의 바르게, 정중히	Kevin is polite as well as handsome. Kevin은 잘생겼을 뿐만 아니라 예의도 바르다.
☐ **impatience**	명 성급함, 조바심 ↔ patience 인내심 *impatient 형 참을 수 없는 ↔ patient 형 참을성 있는 명 환자	I was waiting with impatience for your return. 난 네가 돌아오기를 몹시 초조하게 기다리고 있었다.
☐ **selfish**	형 이기적인 ↔ unselfish 이기적이지 않은	I think Elly is a very selfish girl. 나는 Elly가 매우 이기적인 여자애라고 생각해.
☐ **indifferent**	형 무관심한 *indifference 명 무관심	Most of the people are indifferent to the election. 그 사람들 대부분은 선거에 무관심하다.
☐ **passive**	형 소극적인, 수동적인 ↔ active 적극적인	Try to change your passive attitude. 너의 수동적인 태도를 바꾸려고 노력해 봐라.
☐ **optimistic**	형 낙관적인 ↔ pessimistic 비관적인 *optimist 명 낙천주의자 ↔ pessimist 비관주의자	She is optimistic about her future. 그녀는 자신의 미래에 대해 낙관적이다.
☐ **irony**	명 풍자, 비꼼; 반어법 *ironic 형 역설적인, 반어적인	I sense the irony in his comments. 그의 논평에서 풍자가 느껴진다.
☐ **sarcastic**	형 비꼬는, 빈정대는	It was clearly a sarcastic remark. 그것은 분명히 비꼬는 말이었다.
☐ **urgent**	형 긴급한, 절박한 *urge 동 촉구하다; 주장하다 *urgency 명 긴급	There is an urgent need for more hospital beds. 병상을 늘려야 한다는 긴급한 요구가 있다.
☐ **critical**	형 비판적인; 중대한 *criticize 동 비판하다, 비난하다 *critic 명 비평가, 평론가	Minju's parents were highly critical of the school. 민주의 부모는 학교에 대해 대단히 비판적이었다.
☐ **serious**	형 심각한, 진지한 *seriously 부 심각하게, 진지하게	Clearly, light pollution is as serious as other forms of pollution. 분명히 빛 공해는 다른 형태의 공해만큼 심각하다.

A 다음 영어는 우리말로, 우리말은 영어로 쓰시오.

1. passive _____
2. impatience _____
3. urgent _____
4. sarcastic _____
5. timid _____
6. critical _____
7. optimistic _____
8. outgoing _____

9. 이기적인 _____
10. 비꼬는, 빈정대는 _____
11. 수줍어하는 _____
12. 풍자, 비꼼, 반어법 _____
13. 공손한, 예의 바른 _____
14. 심각한, 진지한 _____
15. 적극적인 _____
16. 무관심한 _____

B 다음 이미지 어휘 중에서 문맥에 가장 알맞은 것을 쓰시오.

Optimistic   indifferent   Outgoing

1. Most of the people are _____ to the election.

2. This job is suitable for an _____ person.

3. She is _____ about her future.

election 선거

suitable 적합한

C 다음 우리말에 맞도록 네모 안에서 알맞은 말을 고르시오.

1. 민주의 부모는 학교에 대해 대단히 비판적이었다.
   ➡ Minju's parents were highly [indifferent / critical] of the school.

2. 난 네가 돌아오기를 몹시 초조하게 기다리고 있었다.
   ➡ I was waiting with [patience / impatience] for your return.

3. 그의 논평에서 풍자가 느껴진다.
   ➡ I sense the [irony / ironic] in his comments.

4. Kevin은 잘생겼을 뿐만 아니라 예의도 바르다.
   ➡ Kevin is [polite / rude] as well as handsome.

highly 상당히, 대단히

with patience 인내심 있게
with impatience 초조하게

sense 감지하다, 느끼다
comment 논평

4일 어휘 핵심 정리 ❷

2 분위기

☐ **lively**	형 활기찬, 힘찬 부 활발하게, 씩씩하게 *cf*. live 형 살아 있는	The show fascinates the audience with lively music and cheerful dance. 그 공연은 생동감 넘치는 음악과 흥겨운 춤으로 관중을 매료시킨다.
☐ **dynamic**	형 역동적인(active, energetic) ↔ static 정적인	This design promotes the image of a dynamic Korea. 이 도안은 역동적인 한국의 이미지를 홍보한다.
☐ **sentimental**	형 감상적인, 감정적인 *sentiment 명 감상, 감정, 정서	She became sentimental looking at the falling leaves. 그녀는 떨어지는 낙엽을 보고 감상적이 되었다.
☐ **crowded**	형 혼잡한, 붐비는 ↔ quiet, uncrowded 한산한 *crowd 동 붐비다, 가득 메우다 명 군중	Paris is crowded with tourists every summer. 파리는 여름마다 관광객들로 붐빈다.
☐ **monotonous**	형 단조로운 *monotony 명 단조로움	The film was so monotonous. 그 영화는 너무 단조로웠다.
☐ **dreadful**	형 무서운, 두려운(fearful, horrible) *dread 동 몹시 무서워하다 명 두려움	Monday is the most dreadful day of the week. 월요일은 일주일 중 가장 끔찍한 날이다.
☐ **lonely**	형 외로운, 고독한 *loneliness 명 외로움, 고독	She invented a device for lonely dogs left at home. 그녀는 집에 남겨진 외로운 개들을 위한 장치를 발명했다.
☐ **gloomy**	형 우울한 ↔ cheerful 기분이 좋은, 명랑한	I'm in a gloomy mood today. 나는 오늘 기분이 우울하다.
☐ **content**	형 만족한(satisfied) *content 동 만족시키다 명 내용	I am content where I am. 나는 현재의 지위에 만족한다.
☐ **anxious**	형 걱정하는(worried); 갈망하는(eager) *anxiety 명 걱정; 갈망	He is anxious about his first day at school. 그는 학교에서의 첫 날을 걱정하고 있다.
☐ **sorrowful**	형 슬픈 *sorrow 명 슬픔	The lyrics of the song are sorrowful. 그 노래의 가사는 슬프다.
☐ **desperate**	형 절망적인, 절박한 [연어] a desperate situation 절망적인 상황	Junho is desperate after having failed the exam again. 준호는 시험에 또 실패해서 절망적이다.
☐ **exotic**	형 이국적인, 색다른, 외국의(foreign) ↔ domestic 국내의	We were attracted by the exotic scenery of the town. 우리는 그 마을의 이국적인 풍경에 매료되었다.

A 다음 영어는 우리말로, 우리말은 영어로 쓰시오.

1. desperate _____
2. dynamic _____
3. sorrowful _____
4. sentimental _____
5. content _____
6. gloomy _____
7. crowded _____
8. dreadful _____

9. 이국적인, 색다른 _____
10. 활기찬, 힘찬 _____
11. 걱정하는; 갈망하는 _____
12. 단조로운 _____
13. 외로운, 고독한 _____
14. 붐비다; 군중 _____
15. 절망적인, 절박한 _____
16. 슬픔 _____

B 다음 이미지 어휘 중에서 문맥에 가장 알맞은 것을 쓰시오.

anxious   dynamic   exotic

1. This design promotes the image of a _____ Korea.

2. We were attracted by the _____ scenery of the town.

3. He is _____ about his first day at school.

promote 홍보하다

attract 마음을 끌다
scenery 경치

C 다음 우리말에 맞도록 네모 안에서 알맞은 말을 고르시오.

1. 준호는 시험에 또 실패해서 절망적이다.
   ➡ Junho is |desperate / dreadful| after having failed the exam again.

fail the exam 시험에 떨어지다

2. 나는 현재의 지위에 만족한다.
   ➡ I am |anxious / content| where I am.

3. 그 영화는 너무 단조로웠다.
   ➡ The film was so |monotonous / gloomy|.

film 영화

4. 그 노래의 가사는 정말 슬프다.
   ➡ The lyrics of the song are really |sorrowful / sentimental|.

lyric 가사

대표 예제 1

다음 문장의 밑줄 친 단어와 의미가 같은 것은?

Classical music made the dogs content and restful.

① timid
② satisfied
③ lively
④ lonely
⑤ passive

개념 가이드

① [   ] ② 만족한 ③ 활기찬 ④ 외로운 ⑤ [   ]

답 소심한, 수동적인

대표 예제 2

다음 중 〈보기〉와 짝지어진 단어의 관계가 <u>다른</u> 것은?

● 보기 ●
polite – rude

① crowded – quiet
② dynamic – static
③ dreadful – sorrowful
④ optimistic – pessimistic
⑤ patience – impatience

개념 가이드

〈보기〉 '예의 바른 – 무례한'(반의어 관계) ① 붐비는 – 한산한 ② 역동적인 – 정적인 ③ [   ] – 슬픈 ④ [   ] – 비관적인 ⑤ 인내심 – 성급함

답 무서운, 낙관적인

대표 예제 3

✎ 고1 9월 모의 응용

다음 네모 안에서 문맥에 알맞은 말을 골라 쓰시오.

These managers judge employees as competent or incompetent at the start and that's that. What's more, they are far less likely to seek or accept criticize / critical feedback from their employees.

➡ _____

개념 가이드

feedback을 수식하는 형용사를 써서 '[   ] 피드백'의 뜻이 되어야 하므로 형용사인 [   ]을 쓴다.

답 비판적인, critical

대표 예제 4

다음 문맥에 맞도록 빈칸에 patience의 변화형과 뜻을 쓰시오.

(A) Dealing with _____ kids is not easy.
(B) Fishing teaches me to be _____.
(C) It was difficult to treat _____s because of a shortage of medicine.

➡ (A) _____ , _____
(B) _____ , _____
(C) _____ , _____

개념 가이드

patience는 '[   ]'의 뜻이고, 반의어인 impatience (성급함)이다. 형용사 patient는 '[   ]'의 뜻이지만 '환자'라는 명사의 뜻으로도 쓴다.

답 인내심, 참을성 있는

대표 예제 5

우리말과 같도록 할 때 빈칸에 가장 알맞은 것은?

그 공연은 활기찬 음악과 흥겨운 춤으로 관중을 매료시킨다.

➡ The show fascinates the audience with _____ music and cheerful dance.

① exotic   ② lively
③ sorrowful   ④ gloomy
⑤ monotonous

개념 가이드

① 이국적인, 색다른, 외국의 ② [   ] ③ 슬픈 ④ 우울한
⑤ [   ]

답 활기찬, 단조로운

대표 예제 6

다음 중 밑줄 친 부분의 쓰임이 어색한 것은?

① Her indifferent attitude makes me angry.
② He answered in a sarcastic tone.
③ B-boy dancing is active and dynamic.
④ Henry is anxious about the job interview.
⑤ Such an active attitude will get you nowhere.

개념 가이드

'그런 적극적인 자세로는 아무것도 얻을 수 없다.'는 문맥상 어색하다.
'그런 [   ] 자세로는 아무것도 얻을 수 없다.'가 자연스러우
므로 active 대신 [   ] 를 쓴다. **답** 소극적인, passive

대표 예제 7

다음 중 밑줄 친 단어의 우리말 뜻이 잘못된 것은?

① The timid child was afraid of cats. (활기찬)
② He was very selfish, and his temper was so difficult that nobody wanted to be his friend. (이기적인)
③ I am getting sentimental as time goes by. (감성적인)
④ The dreadful storm prevented the children from sleeping. (무시무시한)
⑤ He looks very strict and serious. (진지한)

개념 가이드

'그 [   ] 아이는 고양이를 두려워했다.'의 뜻이고, '활기찬'은
[   ] 를 쓴다. **답** 소심한, lively

대표 예제 8

(A), (B), (C)의 각 네모에서 알맞은 말을 골라 쓰시오.

(A) Most people usually pray when they have something [urgent / urgency].
(B) Today let's try a(n) [normal / exotic] food named *shakshuka*.
(C) Someone who is [crowded / lonely] might benefit from helping others.

(A) _____ (B) _____ (C) _____

개념 가이드

(A) something+ [   ] : ~한 무언가 (B) 샤크슈카라는
[   ] 음식 (C) crowded는 '붐비는'의 뜻이므로 자연스럽
지 않다. **답** 형용사, 이국적인(색다른)

5_일 경제·금융

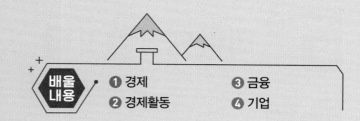

interest

invest

loan

trade

employ

contract

Quiz

다음 문장의 빈칸에 알맞은 말을 고르시오.

1 You can pay by _____ card if you like. (① cash ② credit)

2 This savings plan earns three percent _____ yearly. (① interest ② loss)

답 1 ② 2 ①

5일 어휘 핵심 정리 ❶

1 경제

☐ **currency**	명 화폐, 통화; 유통 *current 형 현재의, 지금의 명 경향, 추세	The official currency in Germany is the Euro(€). 독일의 공식적인 화폐는 유로(€)이다.
☐ **income**	명 수입, 소득(earnings) ↔ expenditure 지출	They are seeking to collect more income tax from the rich. 그들은 부자들로부터 더 많은 소득세를 징수하려고 한다.
☐ **luxury**	명 사치, 사치품 ↔ necessity 필수품 *luxurious 형 사치스러운, 호화로운	Her greatest interest in life seems to be luxury. 인생에 있어서 그녀의 최대 관심사는 사치인 것 같다.
☐ **supply**	명 동 공급(하다) ↔ demand 요구(하다); 수요 [숙어] supply A with B A에게 B를 공급하다	The solar power system will supply power to farms in this area. 그 태양열 발전 시스템이 이 지역의 농장들에 전력을 공급할 것이다.
☐ **exchange**	명 동 교환(하다) [연어] exchange rate 환율	We exchange presents on Christmas. 우리는 크리스마스에 선물을 주고받는다.
☐ **credit**	명 신용, 신용 거래 동 신용하다 *credible 형 믿을 만한 ↔ incredible 믿기 힘든	I don't possess any credit cards. 나는 신용 카드가 없다.

2 경제활동

☐ **import**	명 동 수입(하다) ↔ export 수출(하다)	The government didn't allow the import of some food. 정부는 몇 가지 음식의 수입을 허락하지 않았다.
☐ **commerce**	명 상업, 무역 *commercial 형 상업적인 명 광고 방송	The city is the center of commerce and industry in Italy. 그 도시는 이탈리아에서 상공업의 중심지이다.
☐ **balance**	명 수지, 잔고; 균형 동 균형을 잡다 [연어] balance of trade 무역 수지	Check your balance regularly. 정기적으로 통장 잔고를 확인하세요.
☐ **consumer**	명 소비자 ↔ producer 생산자 *consume 동 소비하다 ↔ produce 생산하다 *consumption 명 소비 ↔ production 생산	Nowadays consumers are accustomed to online advertisements. 요즘에는 소비자들이 온라인 광고에 익숙하다.
☐ **purchase**	명 구입, 구매 동 구매하다(buy)	Just try it on for size before you purchase it. 구입하기 전에 사이즈가 맞는지 한 번 입어 보세요.
☐ **refund**	명 동 환불(하다)	The customer demanded a refund. 그 손님은 환불을 요구했다.

A 다음 영어는 우리말로, 우리말은 영어로 쓰시오.

1. exchange _____
2. commerce _____
3. purchase _____
4. balance _____
5. currency _____
6. consumer _____
7. supply _____
8. credit _____

9. 상업적인; 광고 방송 _____
10. 믿을 만한 _____
11. 수입(하다) _____
12. 사치, 사치품 _____
13. 환불(하다) _____
14. 교환(하다) _____
15. 수입, 소득 _____
16. 지출 _____

B 다음 이미지 어휘 중에서 문맥에 가장 알맞은 것을 쓰시오.

exchange   income   purchase

1. They are seeking to collect more _____ tax from the rich.

2. We _____ presents on Christmas.

3. Just try it on for size before you _____ it.

seek 찾다, 구하다
tax 세금

try on 입어 보다

C 다음 우리말에 맞도록 네모 안에서 알맞은 말을 고르시오.

1. 나는 신용 카드가 없다.
   ➡ I don't possess any currency / credit cards.

2. 요즘에는 소비자들이 온라인 광고에 익숙하다.
   ➡ Nowadays consumers / producers are accustomed to online advertisements.

3. 그 태양열 발전 시스템이 이 지역의 농장들에 전력을 공급할 것이다.
   ➡ The solar power system will supply / demand power to farms in this area.

4. 정부는 몇 가지 음식의 수입을 허락하지 않았다.
   ➡ The government didn't allow the import / export of some food.

possess 소유하다

be accustomed to
 ～에 익숙하다
advertisement 광고

solar 태양의
area 지역

government 정부

3 금융

☐ interest	명 이자; 관심 [연어] interest rate 이자율	Any interest payments are taxed as part of your income. 모든 이자 수입금은 소득의 일부로서 세금이 부과된다.
☐ invest	동 투자하다 *investment 명 투자	He invested his money in the film industry. 그는 자신의 돈을 영화 산업에 투자했다.
☐ profit	명 이익 동 이익을 얻다 ↔ loss 손실 *profitable 형 이익이 되는	There is no profit in doing such things. 그런 일들을 하는 것은 아무런 이득이 없다.
☐ financial	형 재정의, 금융상의 *finance 명 자금, 재정	Tim's father is the chief financial officer. Tim의 아버지는 최고 재무 책임자이다.
☐ loan	명 대출, 융자, 빌려줌 동 빌려 주다	The loan period is for up to 10 years. 대출 기간은 최대 10년이다.
☐ account	명 1. 계좌 2. 설명 3. 이유 동 설명하다 [연어] a savings account 보통 예금 계좌	I'd like to put some money into my account. 제 계좌에 돈을 좀 입금하고 싶어요.

4 기업

☐ employment	명 고용, 근로 ↔ unemployment 해고 *employ 동 고용하다 [연어] employment law 근로기준법	I couldn't find any regular employment. 나는 정규직 일자리를 전혀 찾을 수가 없었다.
☐ manufacture	명 동 제조(하다), 생산(하다) *manufacturer 명 제조업자	This company manufactures compact cameras and computers. 이 회사는 소형 카메라와 컴퓨터를 제조한다.
☐ trade	명 거래, 무역 동 거래하다, 사업하다 [연어] free trade 자유 무역	He taught us how to trade. 그는 우리에게 거래하는 방법을 가르쳐 주었다.
☐ advertise	동 광고하다 *advertisement 명 광고(ad)	Posters and television commercials were used to advertise the event. 행사를 홍보하기 위해 포스터와 TV 광고들이 이용되었다.
☐ cost	명 비용, 경비 동 비용이 들다 [혼동어] coast 명 연안	The cost turned out to be higher than anticipated. 비용은 예상했던 것보다 더 높게 나왔다.
☐ contract	명 계약(서) 동 계약하다(make a contract) [혼동어] contact 동 접촉; 접촉하다	Can you translate this contract into Korean? 이 계약서를 한국어로 번역할 수 있니?

A 다음 영어는 우리말로, 우리말은 영어로 쓰시오.

1. financial _____
2. contract _____
3. advertise _____
4. loan _____
5. manufacture _____
6. account _____
7. employment _____
8. profit _____

9. 거래, 무역 _____
10. 접촉; 접촉하다 _____
11. 이자; 관심 _____
12. 대출, 융자; 빌려 주다 _____
13. 자금; 재정 _____
14. 비용; 비용이 들다 _____
15. 투자하다 _____
16. 제조업자 _____

B 다음 이미지 어휘 중에서 문맥에 알맞은 것을 쓰시오.

invest   advertise   trade

1. He taught us how to _____.

2. He _____ed his money in the film industry.

3. Posters and television commercials were used to _____ the event.

how to+동사원형: ~하는 방법
film industry 영화 산업

commercial 광고 (방송)

C 다음 우리말에 맞도록 네모 안에서 알맞은 말을 고르시오.

1. 그런 일들을 하는 것은 아무런 이득이 없다.
   ➡ There is no ⌈ profit / loss ⌉ in doing such things.

2. 나는 정규직 일자리를 전혀 찾을 수가 없었다.
   ➡ I couldn't find any regular ⌈ employ / employment ⌉.

   regular 정규의

3. 모든 이자 수입금은 소득의 일부로서 세금이 부과된다.
   ➡ Any ⌈ invest / interest ⌉ payments are taxed as part of your income.

   payment 납입, 지불
   tax 세금을 부과하다

4. 비용은 예상했던 것보다 더 높게 나왔다.
   ➡ The ⌈ cost / coast ⌉ turned out to be higher than anticipated.

   anticipate 예상하다

대표 예제 1

고1 9월 응용

다음 문장의 밑줄 친 단어와 의미가 같은 것은?

This is a reply to your inquiry about the shipment status of the desk you <u>purchased</u>.

① bought
② imported
③ supplied
④ exchanged
⑤ advertised

개념 가이드

〈보기〉 [　　　　] ① 샀다 ② 수입했다 ③ 공급했다 ④ 교환했다
⑤ [　　　　]

답 샀다, 광고했다

대표 예제 2

다음 중 〈보기〉와 짝지어진 단어의 관계가 <u>다른</u> 것은?

→ 보기
profit – loss

① supply – demand
② import – export
③ income – expenditure
④ consumer – producer
⑤ commerce – commercial

개념 가이드

〈보기〉는 '반의어' 관계이다. ① 공급 – 수요 ② 수입 – 수출 ③
[　　　　] – 지출 ④ 소비자 – [　　　　] ⑤ 상업 – 상업적인

답 수입(소득), 생산자

대표 예제 3

우리말과 같도록 네모 안에서 알맞은 말을 골라 쓰시오.

영수증을 아직 가지고 있다면 환불을 받을 수 있다.
➡ You can get | an exchange / a refund | if you still have your receipt.

➡ _____

개념 가이드

get an exchange는 '[　　　　]하다'의 뜻이고, get a refund
는 '[　　　　]하다'의 뜻이므로 뜻의 차이에 유의한다.

답 교환, 환불

대표 예제 4

고1 9월 모의

다음 문장의 빈칸에 공통으로 알맞은 말을 쓰시오.

(A) I will _____ for the incident.
(B) I'd like to put some money into my _____.
(C) In that second interview, 25 percent of the students gave completely different _____s of where they were.

➡ _____

개념 가이드

다의어로 (A)는 '설명하다'는 뜻의 동사로 쓰였고, (B)는 '[　　　]',
(C)는 '[　　　]'의 뜻으로 명사로 쓰였다.

답 계좌, 설명

대표 예제 5

우리말과 같도록 할 때 빈칸에 가장 알맞은 것은?

우리는 회사들이 복잡한 재정 문제를 해결하는 것을 돕는다.

➡ We help companies solve complex _____ problems.

① luxurious
② profitable
③ credible
④ financial
⑤ commercial

개념 가이드

① 사치스러운 ② _____ 이 되는 ③ 믿을 만한 ④ _____
⑤ 상업적인

답 이익, 재정의

대표 예제 7

다음 중 밑줄 친 단어의 우리말 뜻이 잘못된 것은?

① The balance of payments was in surplus last year. (수지)
② Too much luxury leads to poverty. (소비)
③ She went on TV to advertise her products. (광고하다)
④ We will be successful in winning the contract. (계약)
⑤ You can exchange your currency for dollars in the hotel. (화폐)

개념 가이드

'지나친 _____ 는 가난을 부른다.'라는 뜻으로 luxury로 쓴다.
' _____ '를 뜻하는 단어는 consumption이다.

답 사치, 소비

대표 예제 6

다음 중 밑줄 친 단어의 쓰임이 어색한 것은?

① The music business combines art and commerce.
② The company mainly consumes based on orders received.
③ It took five years to repay my student loan.
④ If you invest time into education, there will be good results.
⑤ The shop makes a profit of over five million won a month.

개념 가이드

① 상업 ② _____ ③ 대출 ④ 투자하다 ⑤ 수익
②에서 '그 회사는 주로 주문을 받은 것을 바탕으로 생산을 한다.'의
뜻이므로 _____ 를 쓴다.

답 소비하다, produces

대표 예제 8

(A), (B)의 각 네모에서 알맞은 말을 골라 쓰시오.

(A) Students will propose a variety of ideas for developing employs / employment opportunities for the youth within the community.

(B) The interior of this room is too luxury / luxurious.

✏ 고1 3월 모의

(A) _____
(B) _____

개념 가이드

(A) develop _____ opportunities: 고용 기회를 만들다
(B) too는 형용사를 수식하는 부사이므로 too 뒤에 형용사 _____ 가 온다.

답 employments, luxurious

1 다음 중 〈보기〉와 짝지어진 단어의 관계가 같은 것은?

> ● 보기 ●
> neat – tidy

① urban – suburb
② recipe – ingredient
③ mix – suit
④ clothing – garment
⑤ convenient – inconvenient

2 다음 문장의 빈칸에 알맞은 것은?

> Some people have difficulty _____ fresh milk but can eat certain dairy products such as cheese or yogurt.

① reusing
② producing
③ digesting
④ wrapping
⑤ applying

3 다음 문장의 밑줄 친 부분과 의미가 가장 유사한 것은?

> The natives treat strangers with all their heart.

① deal with
② get angry with
③ take in charge of
④ take interested in
⑤ keep away from

4 〈보기〉의 단어를 사용하여 다음 그림을 묘사하는 문장을 완성하시오.

> ● 보기 ●
> plain / striped / is / wearing

➡ The girl _____ _____ a _____ T-shirt and _____ pants.

5 밑줄 친 우리말과 같도록 괄호 안의 단어를 활용하여 문장을 완성하시오.

> You can have high blood pressure for years without any symptoms. 다행히, 고혈압은 쉽게 발견될 수 있다. And once you know you have high blood pressure, you can work with your doctor to control it.

➡ Fortunately, _____

_____. (detect)

6 다음 영영풀이에 해당하는 단어로 알맞은 것은?

> 1. a part of your body that has a particular purpose or function
> 2. a large musical instrument which has keys and pedals like a piano

① heart　　　　② blood
③ organ　　　　④ muscle
⑤ nerve

7 다음 빈칸에 공통으로 들어갈 말을 쓰시오.

> • Can I wear a _____ without a tie?
> • That red dress _____s you well!

➡ _____

8 다음 우리말과 같도록 할 때 빈칸에 알맞은 것은?

> 주문하기 전에 위치를 선택해야 한다.
> ➡ You must select a(n) _____ before placing an order.

① facility　　　　② location
③ ingredient　　　④ career
⑤ degree

9 다음 그림을 참고하여 문장의 빈칸에 알맞은 것은?

> You need to _____ the floor. There is a lot of trash.
>
>

① polish　　　　② tidy
③ wipe　　　　④ sweep
⑤ prepare

10 다음 글의 밑줄 친 It이 의미하는 것은?

> It is your body's way of removing dirt from your nose or throat. It often happens suddenly and without warning. While this symptom can be quite annoying, it's not usually the result of any serious health problem.

① Sniffing　　　　② Sneezing
③ Illness　　　　④ Injury
⑤ Ache

6일 누구나 100점 테스트 2회

1 다음 중 짝지어진 단어의 관계가 나머지와 <u>다른</u> 것은?

① domestic – international
② encourage – discourage
③ attendance – absence
④ familiar – unfamiliar
⑤ career – occupation

2 다음 두 문장의 의미가 같도록 할 때 빈칸에 알맞은 것은?

> He shows no interest toward the suffering of others.
> = He is _____ toward the suffering of others.

① indifferent ② critical
③ outgoing ④ passive
⑤ sarcastic

3 다음 중 성격을 묘사하는 단어가 <u>아닌</u> 것은?

① timid ② selfish
③ polite ④ desperate
⑤ patient

4 다음 그림의 분위기를 묘사하는 말로 알맞지 <u>않은</u> 것은?

① crowded ② lively
③ dynamic ④ exciting
⑤ monotonous

5 다음 글을 읽고, 주어진 문장의 빈칸에 알맞은 말을 쓰시오.

> To forgive, you must first blame. If you have not blamed, then there is nothing to forgive. Blame involves having negative feelings towards the other person. When you forgive, you stop having those negative feelings that were created by blaming.

➡ _____ can come after _____.

6 다음 영영풀이에 해당하는 단어로 알맞은 것은?

> unusual and interesting, usually because it comes from or is related to a distant country

① serious   ② dreadful

③ sarcastic   ④ urgent

⑤ exotic

7 다음 주어진 말을 빈칸에 알맞은 형태로 고쳐 쓰시오.

> A _____(A)_____ is a person or company that produces finished goods from raw materials by using various tools, and then sells the goods to _____(B)_____.

(A) manufacture ➡ _____

(B) consume ➡ _____

8 다음 우리말과 같도록 할 때 빈칸에 알맞은 것은?

> 이 보고서는 일부 지역의 물 공급 상황을 보여 준다.
> ➡ This report shows the water _____ situation in some areas.

① demand   ② income   ③ supply

④ credit   ⑤ degree

고1 9월 응용

9 다음 그림의 빈칸에 알맞은 말을 쓰시오. (단, 주어진 철자로 시작할 것)

US Dollar (A) E_____	Rates
(B) C_____	1 USD =
US Dollar	1
Euro	0.919
British Pound Sterling	0.771
Swedish Krona	9.639

(A) _____

(B) _____

고1 9월 응용

10 다음 글을 쓴 목적으로 가장 알맞은 것은?

> Switching your bank account to us is quick and easy. Just fill in our simple online form and we'll take care of the rest. With the Current Account Switch Service it'll only take seven working days. And we'll close down your old account for you when it's done.

① to reserve   ② to inquire

③ to advertise   ④ to complain

⑤ to celebrate

A 다음 중 알맞은 단어를 골라 문장을 완성하시오.

1 It is
- ☐ healthy
- ☐ unhealthy

to participate in sports.

2 You can come whenever it is
- ☐ convenient
- ☐ inconvenient

for you.

3 This exercise is
- ☐ suit
- ☐ suitable

for those who suffer from back pain.

B 다음 빈칸에 알맞은 말을 <보기>에서 골라 쓰시오.

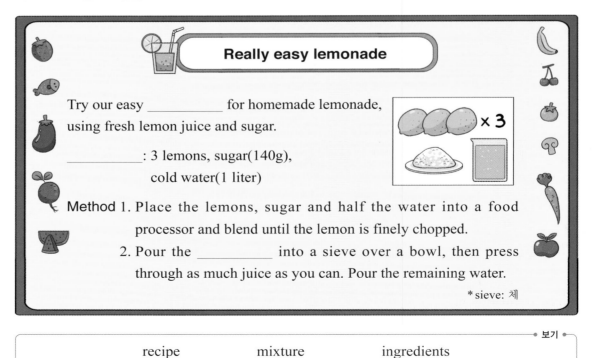

Really easy lemonade

Try our easy _____ for homemade lemonade, using fresh lemon juice and sugar.

_____ : 3 lemons, sugar(140g), cold water(1 liter)

Method 1. Place the lemons, sugar and half the water into a food processor and blend until the lemon is finely chopped.

2. Pour the _____ into a sieve over a bowl, then press through as much juice as you can. Pour the remaining water.

*sieve: 체

⎡ 보기 ⎤
| recipe | mixture | ingredients |

다음 그림을 참고하여 <보기>에서 알맞은 표현을 골라 문장을 완성하시오.

1

2

3

4

보기

- sweeping the street
- delivering a flower pot
- polishing a wooden table
- distributing chocolate-flavored ice cream

1 The man in the striped T-shirt is _____ .

2 Two men in yellow T-shirts are _____ .

3 The blonde straight-haired girl is _____ .

4 The boy with brown curly hair is _____ .

A 다음 우리말과 같은 뜻이 되도록 표현 카드 중 알맞은 것을 골라 문장을 완성하시오.

1 누군가를 용서하는 것은 쉽지 않지만, 앞으로 나아가는 것을 선택하는 것은 여러분의 행복을 위해 놀라운 일을 하는 것이다.

➡ _____ _____ is not easy, but choosing to _____ _____ does _____ for your well-being.

❶ move   ❷ stop   ❸ forward   ❺ wonders

❹ someone   ❻ forgiving   ❼ neglecting

2 사람들이 당신의 물건을 사게 하고 싶다면, 당신은 소비자들이 어떻게 구매 결정을 내리는지를 이해해야 합니다.

➡ If you want to get people to buy your _____, you need to understand how _____ _____ _____ _____.

❶ product   ❷ production   ❸ consumers

❹ someone   ❺ make   ❻ decisions   ❼ purchasing

B 다음 문장의 빈칸에 들어갈 수 있는 말에 모두 체크하시오.

1 Max didn't leave a tip at the restaurant because the waiter was _____ to him.

☐ rude   ☐ polite   ☐ impolite   ☐ optimistic

2 Betty felt _____ when she lost her job.

☐ cheerful   ☐ dreadful   ☐ exotic   ☐ terrible

C 다음 빈칸에 알맞은 성격 카드를 고르시오.

1

If you are _____, you are friendly and enjoy talking to other people.

2

If you are _____, you rarely get nervous or excited.

3

If you are _____, you are easily irritated by things.

☐ patient   ☐ impatient   ☐ sociable

☐ timid   ☐ indifferent   ☐ energetic

[1~2] 밑줄 친 단어와 의미가 가장 유사한 것을 고르시오.

1

> The most <u>attractive</u> people know how to use body language.

① charming
② convenient
③ familiar
④ prepared
⑤ optimistic

2

> Do you have an item of <u>clothing</u> you never ended up wearing?

① garment
② dress shirt
③ wrinkle
④ stripe
⑤ equipment

3 다음 그림을 참고하여 빈칸에 알맞은 말을 〈보기〉에서 골라 쓰시오.

Lost Dog

Our beloved family dog went _____.
He has brown _____ hair. He _____
his left front leg.
If found, please call
010-123-4567.

● 보기 ●
| curly | missing | injured |

4 다음 네모 안에서 알맞은 말을 골라 올바른 형태로 고쳐 쓰시오.

> When students can see their own progress in learning, they will feel a sense of achieve / encourage .

➡ _____

5 (A), (B), (C)의 각 네모에서 문맥에 알맞은 말로 짝지어진 것은?

> Loss of appetite means you don't have the same desire to eat as you used to. Signs of decreased (A) appetite / appetizer include not wanting to eat, unintentional (B) height / weight loss, and not feeling hungry. The idea of eating food may make you feel nauseous, as if you might vomit after eating. People (C) suffering / offering from long-term loss of appetite can have a medical or mental cause.
>
> *nauseous: 메스꺼움 **vomit: 토하다

　　(A)　　　　(B)　　　　(C)
① appetite　– height　– suffering
② appetite　– weight　– suffering
③ appetite　– height　– offering
④ appetizer　– weight　– offering
⑤ appetizer　– height　– suffering

6 다음 두 문장의 의미가 같도록 할 때 빈칸에 알맞은 것은?

> They look similar because they are twins.
> = They _____ each other because they are twins.

① attract   ② engage

③ respond   ④ resemble

⑤ educate

7 다음 중 〈보기〉와 짝지어진 단어의 관계가 같은 것은?

> • 보기 •
> furniture – drawer

① healthy – unhealthy

② flavor – taste

③ urban – rural

④ residence – mansion

⑤ convenience - convenient

8 다음 문장의 빈칸에 가장 알맞은 것은?

> Some hotel chains are using mobile apps to allow guests access to their rooms and other _____.

① facilitate   ② facilities

③ reside   ④ residents

⑤ delivery

9 다음 글에서 판매하려는 제품은?

> We have the best pajamas for women in fabrics like cotton, silk, and more. Get cozy and comfortable in pajamas. Free shipping with orders over $35!

①   ②   ③

④   ⑤

✎ 고1 6월 응용

10 (A), (B), (C)의 각 네모에서 문맥에 알맞은 말로 짝지어진 것은?

> We are planning to redesign our brand identity and launch a new logo to (A) celebrate / withdraw our 10th anniversary. We request you create a logo that (B) suits / blocks our company's vision, 'To inspire humanity.' I hope the new logo will (C) hide / deliver our brand message and capture the values of KHJ. Please send us your logo design proposal once you are done with it. Thank you.

    (A)   (B)   (C)

① celebrate – suits – hide

② celebrate – blocks – hide

③ celebrate – suits – deliver

④ withdraw – blocks – hide

⑤ withdraw – suits – deliver

[11 ~ 12] 다음 우리말과 같도록 빈칸에 알맞은 말을 쓰시오.

11

> 섬유질과 잎채소를 많이 먹으면 소화력을 향상시키는 데 도움이 된다.
> ➡ Eating a lot of fiber and leaf _____s helps to improve your _____.

➡ _____ , _____

12

> 한 실험은 집단 압력의 부정적인 영향을 지적했다.
> ➡ An _____ has pointed to a negative effect of group _____.

➡ _____ , _____

13 다음 글을 읽고, 관련 있는 그림으로 알맞은 것은?

> Most causes of stomachaches aren't reasons to worry, and your doctor can easily diagnose and treat the problem. Sometimes, though, it can be a sign of a serious illness that needs medical attention.

①   ②   ③

④   ⑤

14 다음 중 밑줄 친 단어의 우리말 뜻이 틀린 것은?

① Poor physical health can have a negative impact on <u>mental</u> health. (육체의)
② Significant progress in the <u>treatment</u> of children with cancer has been made. (치료)
③ She likes everything to be <u>neat</u> and tidy. (정돈된)
④ Badges and notes are nice ways to <u>encourage</u> employees, students, friends, etc. (격려하다)
⑤ I can't believe we're about to <u>graduate</u> from high school. (졸업하다)

✎ 고1 6월 응용
15 다음 글의 밑줄 친 부분 중, 문맥상 낱말의 쓰임이 알맞지 않은 것은?

> A goal-oriented mind-set can create a "yo-yo" effect. Many runners work hard for months, but as soon as they cross the finish line, they ①stop training. The race is no longer there to motivate them. When all of your hard work is focused on a particular goal, what is left to push you forward after you ②achieve it? This is why many people find themselves returning to their old habits after ③accomplishing a goal. The purpose of setting goals is to win the game. The purpose of building systems is to ④continue playing the game. True long-term thinking is goal-less thinking. It's not about any single ⑤failure. It is about the cycle of endless refinement and continuous improvement.

[16~17] 다음 영영풀이에 해당하는 단어를 고르시오.

16

> a piece of tissue inside your body which connects two bones and which you use when you make a movement

① flesh   ② muscle
③ organ   ④ nerve
⑤ blood

17

> the practice of making people obey rules or standards of behaviour, and punishing them when they do not

① pain   ② injury
③ degree   ④ discipline
⑤ experience

18 다음 우리말과 같도록 주어진 단어를 바르게 배열하시오.

> 어떤 사람이 질문에 천천히 대답할 때, 청중은 그들을 덜 정직하게 보는 경향이 있다.
>
> ⇒ _____,
> their audience is likely to view them as less honest.

(someone / when / to / responds slowly / a question)

⇒ _____

19 다음 안내문의 내용과 일치하지 <u>않는</u> 것은?

> ### STAY SAFE & HEALTHY
> Reduce your risk of COVID-19 INFECTION
>
> | | |
> |---|---|
> | | Wash your hands with soap. |
> | | Cover your mouth when you cough and sneeze with your sleeve or tissue. |
> | | Keep a distance around 1 meter from other people when in public. |
> | | Stay home unless there is an emergency. |

① 비누로 손 씻기
② 기침이나 재채기 할 때 소매로 가리기
③ 1미터 거리 두기
④ 외출 자제하기
⑤ 사용한 휴지 처리하기

20 (A), (B), (C)의 각 네모에서 문맥에 알맞은 말로 짝지어진 것은?

> (A) The ancient kingdom was located / location at the foot of the Himalayas.
> (B) He wondered if an animal would feel the pain / painful of loss.
> (C) The crime was related / relative to drug abuse.

   (A)   (B)   (C)
① located – pain – related
② located – painful – related
③ located – pain – relative
④ location – painful – relative
⑤ location – pain – relative

1 다음 밑줄 친 단어와 의미가 가장 유사한 것은?

> Most of his earnings come from acting.

① profit
② input
③ outcome
④ income
⑤ expenditure

2 다음 중 짝지어진 단어의 관계가 나머지와 다른 것은?

① different – indifferent
② active – passive
③ optimistic – pessimistic
④ import – export
⑤ shy – outgoing

3 다음 주어진 단어를 빈칸에 공통으로 알맞은 형태로 고쳐 쓰시오.

> Applying for a job is an important step in the hiring process. Your _____ shows your interest in the job and informs the employer of your relevant skills and experience. Knowing how to complete a job _____ well can have a significant impact on your chances of receiving an invitation to interview.

apply ➡ _____

4 다음 그림을 참고하여 주어진 문장을 완성하시오.

> The boy must be p_____ to help an old woman cross the street.

✏ 고1 6월 응용

5 다음 글의 밑줄 친 부분 중, 문맥상 낱말의 쓰임이 알맞지 않은 것은?

> Students work to get good grades even when they have no ①interest in their studies. People seek job advancement even when they are happy with the jobs they already have. It's like being in a ②crowded football stadium, watching a crucial play. A spectator several rows in front stands up to get a ③better view, and a chain reaction follows. Soon everyone is standing, just to be able to see as well as before. Everyone is on their feet rather than sitting, but no one's position has ④improved. When people pursue goods that are positional, they can't help being in the rat race. To choose not to run is to ⑤win.

6 다음 중 밑줄 친 단어와 의미가 유사하지 <u>않은</u> 것은?

> New drivers are often <u>anxious</u> about their driving skills.

① worried ② concerned

③ nervous ④ curious

⑤ uneasy

7 다음 중 성격을 묘사하는 단어가 <u>아닌</u> 것은?

① passive ② impatient

③ outgoing ④ healthy

⑤ courageous

8 다음 문장의 빈칸에 가장 알맞은 것은?

> If you are not satisfied with our service, we will _____ your money.

① exchange ② complain

③ respond ④ purchase

⑤ refund

9 다음 그림을 묘사하는 문장으로 가장 알맞은 것은?

① The students are performing an experiment.

② The students are attending a math class.

③ The children are exchanging their opinions.

④ The children are preparing something to drink.

⑤ A teacher is praising the students for the assignment.

10 (A), (B), (C)의 각 네모에서 문맥에 알맞은 말로 짝지어진 것은?

> (A) She was promoted / promotion to supervisor.
>
> (B) Improving energy efficiency is an urge / urgent need.
>
> (C) We are attracted to those who seem familiar / familiarity to us.

    (A)   (B)   (C)

① promoted – urge – familiar

② promoted – urgent – familiar

③ promoted – urge – familiarity

④ promotion – urgent – familiarity

⑤ promotion – urge – familiar

[11 ~ 12] 다음 우리말과 같도록 빈칸에 알맞은 말을 쓰시오.

11

그는 디지털 마케팅 분야에서 경력을 시작하려고 생각한다.

➡ He is thinking of starting a _____ in digital marketing.

12

지구 육지의 약 55%를 평원이 차지한다.

➡ About 55% of the earth's land surface is _____ by plains.

13 다음 대화가 이루어지는 장소로 알맞은 곳은?

M: Can I help you?
W: Yes, I'd like to open a saving account.
M: Okay. You need to fill out this form first.

①   ②   ③

④   ⑤

14 다음 우리말과 같도록 괄호 안에 주어진 단어를 바르게 배열하시오.

빛의 생산 비용은 거의 상상할 수 없는 방식으로 떨어졌다.

➡ _____ has dropped in a way that is hardly imaginable.

(for / the cost / of / the production / light)

✎고1 3월 응용

15 다음 글의 밑줄 친 부분 중, 문맥상 낱말의 쓰임이 알맞지 않은 것은?

If you care deeply about something, you may place greater value on your ability to succeed in that area. The internal ①pressure you place on yourself to achieve or do well socially is normal and useful, but when you doubt your ability to succeed in areas that are important to you, your self-worth ②suffers. Situations are uniquely stressful for each of us based on whether or not they activate our ③doubt. It's not the pressure to perform that ④creates your stress. Rather, it's the self-doubt that bothers you. Doubt causes you to see positive, neutral, and even genuinely negative experiences more ⑤optimistically.

[16~17] 다음 영영풀이에 해당하는 단어를 고르시오.

16

> an amount of money that you gain when you are paid more for something than it cost you to make, get, or do

① loan   ② cost   ③ profit
④ trade   ⑤ invest

17

> the activities and procedures involved in buying and selling things

① balance   ② credit   ③ currency
④ import   ⑤ commerce

🖉 고1 3월 응용

18 다음 글의 빈칸에 알맞은 말을 〈보기〉에서 골라 쓰시오.

> The continued survival of the human race can be explained by our ability to (A) _____ to our environment. While we may have lost some of our ancient ancestors' survival skills, we have learned new skills as they have become necessary. Today, the gap between the skills we once had and the skills we now have grows ever wider as we rely more heavily on modern technology. Therefore, when you head off into the wilderness, it is important to fully (B) _____ for the environment.

┌──────────── 보기 ────────────┐
adopt   adapt   prepare   promote
└────────────────────────────┘

(A) _____   (B) _____

19 다음 구인 광고 안내문에서 모집하는 분야가 <u>아닌</u> 것은?

Apply here

http://careers@chun.net

Positions

– Marketing Expert
– Product Developer
– Website Manager
– Finance Manager
– Sales Staff

We Are Hiring

① 마케팅 교육자   ② 제품 개발자
③ 웹페이지 관리자   ④ 재정 관리자
⑤ 판매 직원

20 (A), (B), (C)의 각 네모에서 문맥에 알맞은 말로 짝지어진 것은?

> (A) Some of the young workers are so [indifferent / desperate] for jobs that they try to do anything.
> (B) Nature often [demands / supplies] water and sunlight to plants.
> (C) The new technology has been [expected / exported] all over the word.

    (A)   (B)   (C)
① indifferent – demands – expected
② indifferent – supplies – exported
③ indifferent – supplies – expected
④ desperate – supplies – exported
⑤ desperate – demands – expected

💎 다음 워드 퍼즐을 모두 완성한 후, 비밀 단어를 찾아 쓰시오.

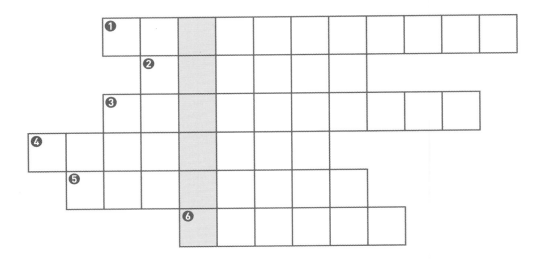

1 Something which someone has succeeded in doing it after a lot effort

2 A unit of measurement that is used to measure temperatures

3 The noun of "graduate"

4 The opposite of the word "unfamiliar"

5 Expressing your disapproval of someone or something

6 Length from the bottom to the top

The secret word is _____.

Memo

Memo

핵심어휘 01 의(依)

☐ plain	무늬가 없는, 수수한; 명백한 *plainly 수수하게
☐ striped	줄무늬의 *stripe ❶ _____
☐ garment	(-s) 옷, 의류(clothing)
☐ ❷ _____	정장, 한 벌; 어울리다; 적합하다 *suitable 적당한, 어울리는(fit)
☐ pajama	(바지와 상의로 된) 잠옷, 파자마
☐ dress shirt	와이셔츠

Tip '와이셔츠'를 영어로 y-shirt라고 하는 것은 잘못된 표현이에요!

답 ❶ 줄무늬 ❷ suit

핵심어휘 02 식(食)

☐ vegetarian	채식주의자; 채식주의자의 *vegetable ❶ _____
☐ digest	소화하다; 이해하다 *digestion 소화, 소화력 *digestive 소화의
☐ ingredient	재료, 성분; 요인, 요소
☐ recipe	조리법
☐ appetite	식욕 *appetizer 전채, 애피타이저
☐ flavored	~ 맛이 나는(복합어로 사용) *❷ _____ 맛(taste); 맛을 내다

답 ❶ 채소 ❷ flavor

핵심어휘 03 주(住)

☐ urban	❶ _____ ↔ rural 시골의
☐ mansion	대저택 cf. villa 별장
☐ reside	거주하다, 살다(live, dwell) *resident 거주자; 거주하는 *residence 거주, 거처, 주소
☐ convenient	편리한 *❷ _____ 편리
☐ facility	편의, 시설 *facilitate 용이하게 하다, 촉진하다
☐ location	장소, 위치 *locate ~의 위치를 찾아내다

답 ❶ 도시의 ❷ convenience

핵심어휘 04 신체

☐ muscle	근육 *muscular 근육의, 근육질의
☐ bone	뼈; (-s) 뼈대, 골격 cf. flesh 살
☐ nerve	신경, 긴장 *❶ _____ 신경의; 긴장한
☐ blood	피, 혈액 *bloody 피의, 피투성이의 *bleed 피를 흘리다(-bled-bled)
☐ ❷ _____	주름살; 구김살; 주름이 생기다 *wrinkled 주름진
☐ organ	(인체의) 장기; (파이프) 오르간 *organic 장기의; 유기체의; 유기농의

Tip nerves는 보통 '용기, 대담'으로 쓰여요!

답 ❶ nervous ❷ wrinkle

○ 다음 우리말에 맞도록 문장의 빈칸에 알맞은 말을 쓰시오.

1 엄밀한 의미에서 나는 채식주의자는 아니다.

➡ I'm not a ▢ in the strictest sense.

2 튀긴 음식은 소화가 잘 안 된다.

➡ Fried food is hard to ▢.

3 난 좋은 후식 요리법을 가지고 있었다.

➡ I had a good dessert ▢.

답 1 vegetarian 2 digest 3 recipe

○ 다음 문장의 빈칸에 괄호 안의 우리말에 알맞은 말을 그림 단어에서 골라 쓰시오.

1 I bought new pajamas for tonight's ▢ party. (잠옷)

2 Elizabeth likes to wear ▢ pants. (무늬 없는)

3 He wore a black and white ▢ shirt. (줄무늬의)

p l a i n   striped   pajama

답 1 pajama 2 plain 3 striped

○ 다음 우리말의 빈칸에 알맞은 말을 쓰시오.

1 Do yoga to relax tense muscles.

➡ 긴장한 ▢ 을 풀기 위해 요가를 해라.

2 This continuous rain is getting on my nerves.

➡ 계속되는 비 때문에 ▢ 이 난다.

3 People get wrinkles on their faces as they grow old.

➡ 사람들은 나이가 들어감에 따라 얼굴에 ▢ 이 생긴다.

답 1 근육 2 짜증 3 주름

○ 다음 문장의 네모 안에서 알맞은 말을 고르시오.

1 He has a beautiful urban / mansion near the beach.

2 AI devices make our lives more convenient / resident .

3 Jim showed me our location / facility in the map.

답 1 mansion 2 convenient 3 location

◯ 핵심어휘 05 외모

☐ slim	날씬한(slender, thin), 가느다란 ↔ fat, overweight 살찐
☐ ❶ [　　　]	체중, 무게 cf. height 키 *weigh 무게를 달다
☐ attractive	매력적인, 멋진 *attract 매혹하다 *attraction ❷ [　　　], 끌림
☐ blond(e)	금발의; 금발을 한 사람 cf. brown 갈색의, silver 은색의
☐ curly	곱슬곱슬한(wavy) ↔ straight 직모의
☐ bald	대머리의, 머리가 벗겨진 [혼동어] bold 대담한

답 ❶ weight ❷ 매력

◯ 핵심어휘 06 건강

☐ response	반응; 대답 *respond 반응하다, 대답하다
☐ mental	정신의, 마음의 ↔ physical 육체의 *mentally 정신적으로 ↔ physically 육체적으로
☐ ❶ [　　　]	냄새를 맡다, 코를 훌쩍이다; 냄새 맡기, 코를 훌쩍이기
☐ sneeze	재채기를 하다; 재채기 cf. cough 기침을 하다; 기침
☐ painful	아픈, 고통스러운 ↔ painless ❷ [　　　] *pain 고통; (-s) 수고
☐ healthy	건강한, 건강에 좋은 ↔ unhealthy 건강하지 못한, 유해한

답 ❶ sniff ❷ 고통이 없는

◯ 핵심어휘 07 질병

☐ illness	병, 아픔, 질환 *ill 아픈, 병든(sick)
☐ ❶ [　　　]	압력, 압박, 스트레스 *press 누르다
☐ suffer	(질병, 슬픔 등에) 고통 받다, 겪다
☐ treat	치료하다(cure); 다루다; 대접하다 *❷ [　　　] 치료; 처리; 대접
☐ injure	부상당하다 *injury 부상 *injured 부상당한
☐ ache	아프다; 아픔 *headache 두통 *stomachache 복통

답 ❶ pressure ❷ treatment

◯ 핵심어휘 08 가정

☐ domestic	가정용의; 국내의; 길들여진
☐ relative	친척(relation); 비교적인, 관련된 *❶ [　　　] 관련시키다
☐ resemble	닮다, 비슷하다 *resemblance 닮음, 유사함
☐ adopt	입양하다; 채택하다; (방식을) 쓰다 *adoption 입양; 채택
☐ ❷ [　　　]	용기를 북돋우다, 권장하다 ↔ discourage 단념시키다 *encouragement 격려, 권장
☐ discipline	규율; 훈육하다, 징계하다

resemble은 수동태나
진행형으로 쓰이지 않아요!

Tip

답 ❶ relate ❷ encourage

○ 다음 우리말에 맞도록 문장의 빈칸에 알맞은 말을 쓰시오.

1 재채기나 하품을 할 때, 손으로 입을 가려야 한다.

➡ When you [   ] or yawn, you have to cover your mouth with your hands.

2 벌에 쏘인 상처는 아프긴 하지만 꼭 심각하지는 않다.

➡ A bee sting is [   ] but not necessarily serious.

3 건강에 좋은 음식을 먹고 운동을 좀 더 해라.

➡ Eat [   ] food and exercise more.

답 **1** sneeze **2** painful **3** healthy

○ 다음 문장의 네모 안에서 알맞은 말을 고르시오.

1 The smile of Mona Lisa is [attract / attractive].

2 She has long wavy [bold / blond] hair and blue eyes.

3 It's important to maintain your current [weight / height].

답 **1** attractive **2** blond **3** weight

○ 다음 우리말의 빈칸에 알맞은 말을 쓰시오.

1 My parents always encourage me.

➡ 나의 부모님은 언제나 나를 [   ] 주신다.

2 A close relative lives in Namwon.

➡ 가까운 [   ] 한 분이 남원에 사신다.

3 Mr. and Mrs. Grey decided to adopt the baby boy.

➡ Grey 씨 부부는 그 남자 아기를 [   ] 결정했다.

답 **1** 격려해 **2** 친척 **3** 입양하기로

○ 다음 문장의 빈칸에 괄호 안의 우리말에 알맞은 말을 그림 단어에서 골라 쓰시오.

1 Her blood [   ] is stable. (압력)

2 Jane recovered from her [   ]. (병)

3 The doctor [   ]ed the sick child. (치료했다)

답 **1** pressure **2** illness **3** treat

핵심어휘 09 학교

- ☐ attendance — 출석, 참석 ↔ absence 결석
  *❶ [____] 참석하다
- ☐ experiment — 실험; 실험을 하다
- ☐ degree — 학위; (온도계의) 도; 수준, 정도
- ☐ education — 교육
  *educate 교육하다
  *educated 교양 있는, 학식 있는
- ☐ ❷ [____] — 성취, 업적
  *achieve 성취하다, 이루다
- ☐ graduation — 졸업
  *graduate 졸업하다; 졸업생

답 ❶ attend ❷ achievement

핵심어휘 10 인간관계

- ☐ familiar — 친숙한, 잘 알려진
  ↔ ❶ [____] 익숙하지 않은, 낯선
  *familiarity 친숙함, 허물없음
- ☐ forgive — 용서하다(pardon)
  *forgiveness 용서
- ☐ neglect — 무시하다, 소홀히 하다; 무시, 태만
  *neglectful 소홀한, 태만한
- ☐ blame — 비난하다, 탓하다(criticize); 비난
  *praise 칭찬하다
- ☐ ❷ [____] — 거짓말쟁이
  *lie 거짓말하다; 거짓말
- ☐ celebrate — 축하하다
  *celebration 축하, 기념

답 ❶ unfamiliar ❷ liar

핵심어휘 11 일·직업

- ☐ occupation — 직업(job); 점령
  *occupy 차지하다, 점령하다
- ☐ career — 경력, 이력; 직업, 진로
- ☐ ❶ [____] — 지원하다, 신청하다; 적용하다; (약을) 바르다
  *application 지원, 신청; 적용
- ☐ engage — 종사하다, 참여하다; (주의를) 끌다; 약혼하다
  *engagement 고용; 약혼
- ☐ promotion — 승진; 촉진; 홍보
  *❷ [____] 승진하다, 홍보하다
- ☐ expert — 전문가; 전문가의, 숙련된
  ↔ amateur 아마추어
  *expertise 전문적인 지식

답 ❶ apply ❷ promote

핵심어휘 12 성격·태도·어조

- ☐ outgoing — 외향적인, 사교적인
  ↔ ❶ [____] 수줍어하는
- ☐ timid — 겁이 많은, 소심한
  ↔ courageous 용감한
- ☐ impatience — 성급함, 조바심 ↔ patience 인내심
  *impatient 참을 수 없는, 성급한
  ↔ patient 참을성 있는; 환자
- ☐ selfish — 이기적인
  ↔ unselfish 이기적이지 않은
- ☐ sarcastic — 비꼬는, 빈정대는
- ☐ ❷ [____] — 긴급한, 절박한
  *urge 촉구하다; 주장하다
  *urgency 긴급

답 ❶ shy ❷ urgent

○ 다음 우리말의 빈칸에 알맞은 말을 쓰시오.

1 I'm not familiar with Mexican food.

➡ 나는 멕시코 음식에 [   ] 않다.

2 I discovered that he was a liar.

➡ 나는 그가 [   ]라는 것을 알게 되었다.

3 We celebrated our first wedding anniversary.

➡ 우리는 우리의 첫 번째 결혼 [   ]을 축하했다.

답 1 익숙하지 2 거짓말쟁이 3 기념일

○ 다음 문장의 빈칸에 괄호 안의 우리말에 알맞은 말을 그림 단어에서 골라 쓰시오.

1 This [   ] will prove the theory right. (실험)

2 My older brother got a master's [   ] in chemistry. (학위)

3 All participants wore a black [   ] cap and gown. (졸업)

graduation experiment degree

답 1 experiment 2 degree 3 graduation

○ 다음 우리말에 맞도록 문장의 빈칸에 알맞은 말을 쓰시오.

1 나는 Elly가 매우 이기적인 여자애라고 생각해.

➡ I think Elly is a very [   ] girl.

2 그것은 분명히 비꼬는 말이었다.

➡ It was clearly a [   ] remark.

3 병상을 늘려야 한다는 긴급한 요구가 있다.

➡ There is an [   ] need for more hospital beds.

답 1 selfish 2 sarcastic 3 urgent

○ 다음 문장의 네모 안에서 알맞은 말을 고르시오.

1 My aunt started her [career / carrier] as a clerk.

2 He doesn't have a regular [occupy / occupation].

3 The [promote / promotion] marked a turning point in her career.

답 1 career 2 occupation 3 promotion

핵심어휘 13 분위기

☐ sentimental	감상적인, 감정적인 *❶ [_____] 감상, 감정, 정서
☐ crowded	혼잡한, 붐비는 ↔ quiet 한산한 *crowd 붐비다, 가득 메우다; 군중
☐ lonely	외로운, 고독한 *loneliness 외로움, 고독
☐ gloomy	우울한 ↔ cheerful 기분이 좋은, 명랑한
☐ ❷ [_____]	걱정하는; 갈망하는 *anxiety 걱정; 갈망
☐ desperate	절망적인, 절박한

답 ❶ sentiment ❷ anxious

핵심어휘 14 경제

☐ currency	화폐, 통화; 유통 ↔ ❶ [_____] 현재의, 지금의; 경향, 추세
☐ e✗change	교환하다; 교환
☐ import	수입(하다) ↔ export 수출(하다)
☐ commerce	상업, 무역 *commercial 상업적인; 광고 방송
☐ balance	수지, 잔고; 균형; 균형을 잡다
☐ ❷ [_____]	환불(하다)

답 ❶ current ❷ refund

핵심어휘 15 금융

☐ interest	이자; 관심
☐ ❶ [_____]	투자하다 *investment 투자
☐ profit	이익; 이익을 얻다 ↔ loss 손실 *profitable 이익이 되는
☐ financial	재정의, 금융상의 *❷ [_____] 자금, 재정
☐ loan	대출, 융자, 빌려줌; 빌려 주다
☐ account	계좌; 설명; 이유; 설명하다

답 ❶ invest ❷ finance

핵심어휘 16 기업

☐ employment	고용 ↔ unemployment 해고 *❶ [_____] 고용하다
☐ manufacture	제조(하다), 생산(하다) ↔ manufacturer 제조업자
☐ tr·ade	거래, 무역; 거래하다, 사업하다
☐ ❷ [_____]	광고하다 *advertisement 광고(ad)
☐ cost	비용, 경비; 비용이 들다 [혼동어] coast 연안
☐ contract	계약서; 계약하다 [혼동어] contact 접촉(하다)

답 ❶ employ ❷ advertise

14 핵심 정리 예제

○ 다음 문장의 빈칸에 괄호 안의 우리말에 알맞은 말을 그림 단어에서 골라 쓰시오.

1 Check your _____ regularly. (통장 잔고)

2 The customer demanded a _____. (환불)

3 The government did not allow the _____ of some food. (수입)

refund   balance   import

답 1 balance 2 refund 3 import

13 핵심 정리 예제

○ 다음 우리말의 빈칸에 알맞은 말을 쓰시오.

1 I'm in a gloomy mood today.
➡ 나는 오늘 기분이 _____ .

2 He is anxious about his first day at school.
➡ 그는 학교에서의 첫 날을 _____ 있다.

3 Paris is crowded with tourists every summer.
➡ 파리는 여름마다 관광객들로 _____ .

답 1 우울하다 2 걱정하고 3 붐빈다

16 핵심 정리 예제

○ 다음 우리말에 맞도록 문장의 빈칸에 알맞은 말을 쓰시오.

1 그는 우리에게 거래하는 방법을 가르쳐 주었다.
➡ He taught us how to _____ .

2 이 계약서를 한국어로 번역할 수 있니?
➡ Can you translate this _____ into Korean?

3 이 회사는 소형 카메라와 컴퓨터를 제조한다.
➡ This company _____ compact cameras and computers.

답 1 trade 2 contract 3 manufactures

15 핵심 정리 예제

○ 다음 문장의 네모 안에서 알맞은 말을 고르시오.

1 The loan / profit period is for up to 10 years.

2 Tim's father is the chief finance / financial officer.

3 I'd like to put some money into my account / invest .

답 1 loan 2 financial 3 account

book.chunjae.co.kr

교재 내용 문의 ················· 교재 홈페이지 ▶ 고등 ▶ 교재상담
교재 내용 외 문의 ················· 교재 홈페이지 ▶ 고객센터 ▶ 1:1문의
발간 후 발견되는 오류 ··········· 교재 홈페이지 ▶ 고등 ▶ 학습지원 ▶ 학습자료실

7일 끝

시험 대비 어휘 기초

7일 끝으로 끝내자!

고등 영어 어휘

BOOK 2

7

천재교육

언제나 만점이고 싶은 친구들

Welcome!

숨 돌릴 틈 없이 찾아오는 시험과 평가.
성적과 입시 그리고 미래에 대한 걱정.
중·고등학교에서 보내는 6년이란 시간은
때때로 힘들고, 버겁게 느껴지곤 해요.

그런데 여러분, 그거 아세요?
지금 이 시기가 노력의 대가를
가장 잘 확인할 수 있는 시간이라는 걸요.

안 돼, 못하겠어, 해도 안 될 텐데–
어렵게 생각하지 말아요. 천재교육이 있잖아요.
첫 시작의 두려움을 첫 마무리의 뿌듯함으로 바꿔줄게요.

펜을 쥐고 이 책을 펼친 순간
여러분 앞에 무한한 가능성의 길이 열렸어요.

우리와 함께 꽃길을 향해 걸어가 볼까요?

#시험대비
#핵심정복

7일 끝
시험 대비
어휘 기초

Chunjae
Makes
Chunjae

[7일끝 고등 영어] 어휘

발행일   2021년 9월 15일 초판 2021년 9월 15일 1쇄
발행인   (주)천재교육
주소   서울시 금천구 가산로9길 54
신고번호   제2001-000018호
고객센터   1577-0902
교재 내용문의 (02)3282-8837

7일 끝으로 끝내자!

7 고등 영어 어휘

BOOK 2

이 책의 구성과 활용

일별 시험 공부

생각 열기 + 단어 미리 보기

만화와 함께 본격적인 공부에 앞서 학습 내용을 가볍게 짚고 넘어갈 수 있습니다.

❶ 단어 미리 보기 | 오늘 학습에 필요한 단어 확인하기
❷ 배울 내용 | 오늘 공부할 학습 내용 확인하기
❸ Quiz | 간단한 퀴즈를 통해 기본적인 내용을 알고 있는지 확인하기

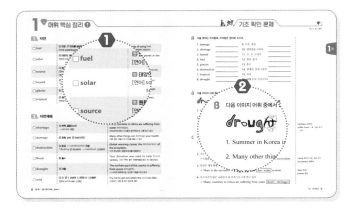

어휘 핵심 정리 + 기초 확인 문제

꼭 알아야 어휘 핵심 내용을 공부하고, 기초 확인 문제를 통해 잘 이해했는지 꼼꼼히 확인할 수 있습니다.

❶ 어휘 핵심 정리 | 핵심 내용 공부하기
❷ 기초 확인 문제 | 어휘 핵심 정리 내용에 대한 기초 확인 문제 풀기

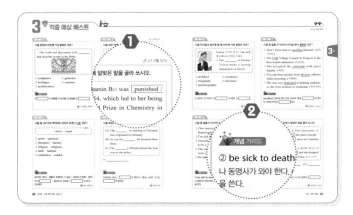

적중 예상 베스트

학교 시험 유형의 대표 예제를 연습하여 학교 시험에 효과적으로 대비할 수 있습니다.

❶ 기출 지문 활용 | 전국연합학력평가의 기출 지문을 활용하여 학교 시험 문제 유형 익히기
❷ 개념 가이드 | 빈칸을 채우며 문제를 푸는 데 도움이 되는 개념 확인하기

시험 공부 마무리 테스트

누구나 100점 테스트

아주 쉬운 예상 문제로 100점에 도전하여 시험
에 대한 자신감을 키울 수 있습니다.

창의·융합·서술·코딩 테스트

쉽고 다양한 서술형 문제를 통해 어렵게 느껴지는
서술형 문제에 대한 자신감을 키울 수 있습니다.

학교 시험 기본 테스트

학교 시험 유형의 예상 문제를 풀어 봄으로써
내신에 대한 자신감을 키울 수 있습니다.

시험 직전까지 챙겨야 할 부록

💎 핵심 어휘 정리 총집합 카드

가장 중요한 핵심 어휘만 모아 카드 형식으로 수록하였습니다.
휴대하여 이동할 때나 시험 직전에 활용할 수 있습니다.

💎 어휘 목록 / 어휘 테스트

5일 동안 학습한 어휘를 정리하고 테스트를 통해 확인할 수 있
도록 했습니다.

이 책의 차례

1 자연환경

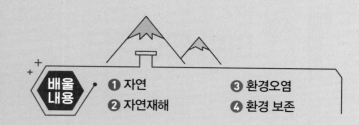

pollution

oil spill

waste

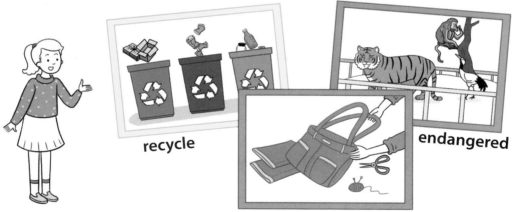

recycle

reuse

endangered

Quiz

다음 문장의 빈칸에 알맞은 말을 고르시오.

1 A _____ swept over the village. (① fuel   ② flood)

2 _____ do not emit greenhouse gases. (① Bicycles   ② Gasoline cars)

답 1 ② 2 ①

1일 어휘 핵심 정리 ①

1 자연

☐ **fuel**	명 연료 동 연료를 공급하다 [연어] solid(liquid) fuel 고체(액체) 연료	It's a more efficient way of using fuel. 그것이 연료를 좀 더 효율적으로 사용하는 방법이다.
☐ **solar**	형 태양의, 태양열을 이용한 [연어] solar energy 태양 에너지 　　　solar system 태양계	Mars is the second smallest planet in the solar system. 화성은 태양계에서 두 번째로 작은 행성이다.
☐ **source**	명 원천, 출처, 정보원 [연어] energy source 에너지원 [혼동어] sauce 소스, 양념	We can utilize the sun as an energy source. 우리는 태양을 에너지원으로 이용할 수 있다.
☐ **humid**	형 습한, 눅눅한 *humidity 명 습도, 습기	Summer in Korea is very hot and humid. 한국의 여름은 매우 덥고 습하다.
☐ **glacier**	명 빙하	The glacier is threatening a small village. 빙하가 작은 마을을 위협하고 있다.
☐ **tropical**	형 열대의, 열대 지방의 [연어] tropical rainforest 열대 우림	Bengal tigers live in tropical rainforests. 벵골호랑이는 열대우림에서 산다.

2 자연재해

☐ **shortage**	명 부족, 결핍(lack) ↔ excess 과잉	Many countries in Africa are suffering from water shortages. 아프리카의 많은 나라들이 물 부족으로 고통 받고 있다.
☐ **damage**	명 피해, 손상 동 손상시키다	Many other things can damage your health. 다른 많은 것들이 네 건강을 해칠 수 있다.
☐ **destruction**	명 파괴 ↔ construction 건설 *destroy 동 파괴하다 ↔ construct 건설하다	Global warming causes the destruction of the ecosystem. 지구 온난화는 생태계 파괴를 유발한다.
☐ **flood**	명 홍수	Your donation was used to help flood victims. 너의 기부는 홍수 피해자들을 돕는 데 사용되었다.
☐ **drought**	명 가뭄	The northern part of the country is suffering from severe droughts. 그 나라의 북부에서는 심각한 가뭄을 겪고 있다.
☐ **acid**	명 산 형 1. 산성의 2. (맛이) 신 3.신랄한 [연어] acid rain 산성비	Try not to get wet when the acid rain falls. 산성비가 내릴 때 젖지 않도록 해라.

A 다음 영어는 우리말로, 우리말은 영어로 쓰시오.

1. damage _____	9. 부족, 결핍 _____
2. shortage _____	10. 태양열을 이용한 _____
3. humid _____	11. 산; 신; 산성의 _____
4. fuel _____	12. 원천, 출처 _____
5. glacier _____	13. 홍수 _____
6. destruction _____	14. 열대의, 열대 지방의 _____
7. tropical _____	15. 파괴 _____
8. drought _____	16. 피해, 손상; 손상시키다 _____

B 다음 이미지 어휘 중에서 문맥에 알맞은 것을 쓰시오.

1. Summer in Korea is very hot and _____.

2. Many other things can _____ your health.

3. The northern part of the country is suffering from severe _____s.

northern 북쪽의
suffer from ~로 고통 받고 있다

C 다음 우리말에 맞도록 네모 안에서 알맞은 말을 고르시오.

1. 벵골호랑이는 열대우림에서 산다.
   ➡ Bengal tigers live in tropical / humid rainforests.

2. 지구 온난화는 생태계 파괴를 유발한다.
   ➡ Global warming causes the destroy / destruction of the ecosystem.

cause 원인이 되다, 일으키다
ecosystem 생태계

3. 화성은 태양계에서 두 번째로 작은 행성이다.
   ➡ Mars is the second smallest planet in the sun / solar system.

Mars 화성
planet 행성

4. 아프리카의 많은 나라들이 물 부족으로 고통 받고 있다.
   ➡ Many countries in Africa are suffering from water shorts / shortages .

3 환경오염

☐ pollution	명 오염, 공해 *pollute 동 오염시키다 [연어] air pollution 대기오염	Most of us are familiar with air, water, and land pollution. 우리들 대부분은 공기, 물, 토양 오염에 익숙하다.
☐ atmosphere	명 대기, 공기; 분위기	We learned that the atmosphere of the earth absorbs part of the solar energy. 우리는 지구의 대기가 태양 에너지의 일부를 흡수한다고 배웠다.
☐ greenhouse	명 온실 [연어] greenhouse gas 온실가스	Greenhouse gases also come from electricity use. 온실가스는 전기 사용에서도 발생된다.
☐ spill	명 유출, 엎지름 동 엎지르다, 흘리다(-spilled〔spilt〕-spilled〔spilt〕) [연어] oil spill 기름 유출	It is no use crying over spilt milk. 엎질러진 우유를 두고서 울어봐야 소용없다.(속담: 엎지른 물은 다시 담을 수 없다.)
☐ ozone	명 오존 [연어] ozone layer 오존층	The ozone layer is being destroyed. 오존층이 파괴되고 있다.
☐ waste	명 쓰레기, 폐기물 [연어] industrial waste 산업용 폐기물	Industrial waste water is polluting our rivers. 산업폐수가 우리의 하천을 오염시키고 있다.

4 환경 보존

☐ preserve	동 지키다. 보존하다 *preservation 명 보존, 보호	The house has been preserved for 30 years. 그 집은 30년 동안 보존되어 왔다.
☐ rescue	명 구조, 구출 동 구조하다 *rescuer 명 구조자	He dived in and rescued the drowning child. 그는 물속에 뛰어들어 물에 빠진 아이를 구했다.
☐ endangered	형 멸종 위기의 [연어] endangered animal 멸종 위기의 동물	The program about endangered animals was interesting. 멸종 위기의 동물에 관한 그 프로그램은 재미있었다.
☐ reuse	동 재사용하다 *reusable 형 재사용할 수 있는 cf. recycle 동 재활용하다	We can reuse these plastic bags. 이 비닐 봉투는 재사용할 수 있다.
☐ reduce	동 줄이다, 감소시키다 *reduction 명 감소, 삭감	They executed a plan to reduce fuel consumption. 그들은 연료 소비를 줄이기 위한 계획을 실행했다.

기초 확인 문제

정답과 해설 **34**쪽

1일

A 다음 영어는 우리말로, 우리말은 영어로 쓰시오.

1. waste _____
2. preserve _____
3. spill _____
4. reduce _____
5. atmosphere _____
6. endangered _____
7. rescue _____
8. pollution _____

9. 재사용하다 _____
10. 오염, 공해 _____
11. 구조, 구출 _____
12. 온실 _____
13. 보호, 보존 _____
14. 유출, 엎지름; 엎지르다 _____
15. 감소, 삭감 _____
16. 오존 _____

B 다음 이미지 어휘 중에서 문맥에 알맞은 것을 고르시오.

waste   rescue   pollution

1. He dived in and _____d the drowning child.

2. Most of us are familiar with air, water, and land _____.

3. Industrial _____ water is polluting our rivers.

drowning 물에 빠진

be familiar with
  ~에 친숙하다

industrial 산업의

C 다음 우리말에 맞도록 다음 문장의 빈칸에 알맞은 말을 쓰시오.

1. 멸종 위기의 동물에 관한 그 프로그램은 재미있었다.

   ➡ The program about _____ animals was interesting.

2. 엎질러진 우유를 두고서 울어봐야 소용없다.

   ➡ It is no use crying over _____ milk.

3. 그 집은 30년 동안 보존되어 왔다.

   ➡ The house has been _____ for 30 years.

4. 온실가스는 전기 사용에서도 발생된다.

   ➡ _____ gases also come from electricity use.

It is no use -ing ~해봐야
  소용없다

electricity 전기

대표 예제 1

다음 문장의 빈칸에 알맞은 것은?

Due to the increase of CO₂ in the _____, icebergs are gradually melting.

① earth
② ozone
③ planet
④ atmosphere
⑤ waste

개념 가이드

'대기 중의 CO₂의 증가'는 the increase of CO₂ in the _____로 쓴다. '~ 때문에'는 _____ to이다.

답 atmosphere, due

대표 예제 2

다음 중 〈보기〉와 짝지어진 단어의 관계가 다른 것은?

• 보기 •

pollute – pollution

① humid – humidity
② destroy – destruction
③ reduce – reduction
④ construct – construction
⑤ preserve – preservation

개념 가이드

〈보기〉는 '동사(오염시키다) – _____(오염, 공해)'의 관계이다. ①은 '습한 – 습기'의 뜻으로 '형용사 – _____'의 관계이다.

답 명사, 명사

대표 예제 3

다음 네모 안에서 문맥에 알맞은 말을 골라 쓰시오.

When you burn fossil [fuels / sources], carbon gas is produced, which has a harmful effect on the climate.

➡ _____

개념 가이드

fuel은 '_____'라는 뜻이고, source는 '_____; 출처; 정보원'이라는 뜻이다.

답 연료, 원천

대표 예제 4

다음 문장의 빈칸에 공통으로 알맞은 말을 쓰시오.

(A) _____ rain can damage crops, buildings and wildlife.
(B) I like a slightly _____ fruit.
(C) The _____ in sodas slows digestion and blocks nutrient absorption.

➡ _____

개념 가이드

(1) 산성비: _____ rain (2) 신 과일: _____ fruit (3) 소다수 안의 산: The acid in sodas

답 acid, acid

1일

대표 예제 5

다음 문장의 빈칸에 가장 알맞지 <u>않은</u> 것은?

> One thing we do is search for and rescue people during natural disasters like _____.

① floods   ② rain   ③ droughts
④ hurricanes   ⑤ earthquakes

개념 가이드

'〜과 같은 자연재해'라고 했으므로 자연재해에 속하지 않는 것을 골라야 한다. ① [　　　] ② 비 ③ [　　　] ④ 허리케인 ⑤ 지진

답 홍수, 가뭄

대표 예제 7

다음 중 단어의 우리말 뜻이 바르지 <u>않은</u> 것은?

① solar system: 태양계
② solid fuel: 액체 연료
③ air pollution: 대기오염
④ industrial waste: 산업폐기물
⑤ tropical rainforest: 열대우림

개념 가이드

fuel은 '연료'라는 뜻으로 고체 연료([　　　] fuel), 액체 연료 ([　　　] fuel)가 있다.

답 solid, liquid

대표 예제 6

다음 중 밑줄 친 단어의 쓰임이 <u>어색한</u> 것은?

① The <u>oxygen</u> layer screens out dangerous rays from the sun.
② They found a way to <u>reuse</u> water that contains high salt content.
③ Many species of trees are now <u>endangered</u> because of urbanization.
④ We should take actions to reduce plastic <u>waste</u>.
⑤ Experts were sent to help with the monitoring of the oil <u>spill</u>.

개념 가이드

태양으로부터 위험한 광선을 차단해 주는 것은 산소층이 아니라 '[　　　]층'이므로 [　　　] layer로 쓴다.

답 오존, ozone

대표 예제 8

(A), (B), (C)의 각 네모에서 알맞은 말을 골라 쓰시오.

> (A) This new technology can provide alternative energy [sauces / sources].
> (B) He became disabled because of neural [shortage / damage].
> (C) Fossil fuels emit [house / greenhouse] gases when they are burned.

(A) _____ (B) _____ (C) _____

개념 가이드

(A) 에너지원: energy [　　　] (B) 신경 손상: neural [　　　] (C) 온실가스: greenhouse gases

답 sources, damage

2 ^일 사회·정치

Community

주민회관

cooperation

socialization

judge

violate

crime

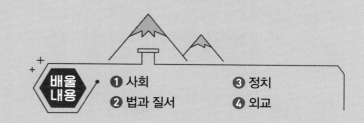

govern

public

unify

independence

diplomacy

conflict

Quiz

다음 문장의 밑줄 친 말과 바꿔 쓸 수 있는 것을 고르시오.

1 The newspaper revealed the scandal to the _____ . (① public   ② private)

2 The growth of violent _____ is a big broblem. (① conflict   ② crime)

답 1 ① 2 ②

2_일 어휘 핵심 정리 ①

1 사회

□ community	명 지역사회, 공동체	I volunteered at the community center. 나는 지역 주민 회관에서 자원봉사를 했다.
□ relationship	명 관계(relation) *relate 통 관련시키다	Their relationship worsened day by day. 그들의 관계는 날이 갈수록 더 안 좋아졌다.
□ population	명 인구, 주민 [연어] a small(large) population 적은(많은) 인구	Black people constitute 12 percent of the US population. 흑인은 미국 인구의 12퍼센트를 구성한다.
□ socialization	명 사회화 *socialize 통 사회화하다	Eating together also helps socialization. 함께 식사하는 것 또한 사회화에 도움이 된다.
□ responsible	형 책임이 있는 *responsibility 명 책임	I am responsible for the environmental matter. 나는 환경 문제를 책임지고 있다.
□ cooperation	명 협력, 협조 *cooperate 통 협력하다, 협조하다	Thank you for your cooperation and consideration. 여러분의 협조와 배려에 감사드립니다.

2 법과 질서

□ violate	통 어기다, 위반하다(break); 침해하다 ↔ obey 지키다, 준수하다	CCTV can violate people's privacy. CCTV는 사람들의 사생활을 침해할 수 있다.
□ crime	명 범죄, 범행 [연어] commit a crime 범죄를 저지르다 *criminal 형 범죄의 통 범죄자	The man decided not to commit a crime again. 그 남자는 다시는 범죄를 저지르지 않기로 결심했다.
□ innocent	형 무죄의, 결백한 ↔ guilty 유죄의	The court found him innocent. 법정은 그에게 무죄를 판결했다.
□ judge	명 판사, 심판 통 판단하다, 판정하다 *judg(e)ment 명 판단, 판결	The judge said that the old lady was guilty. 그 판사는 그 노부인이 유죄라고 말했다.
□ evidence	명 증언, 증거(proof) *evident 형 명백한	There is no evidence that her words are false. 그녀의 말이 거짓이라는 증거는 없다.
□ punish	통 벌주다, 처벌하다 *punishment 명 처벌	I'll punish you if you tell a lie. 거짓말을 하면 내가 벌줄 거야.

2일

A 다음 영어는 우리말로, 우리말은 영어로 쓰시오.

1. socialization _____
2. cooperation _____
3. innocent _____
4. violate _____
5. relationship _____
6. punish _____
7. crime _____
8. responsible _____

9. 지키다, 준수하다 _____
10. 책임 _____
11. 판사, 심판; 판단하다 _____
12. 증언, 증거 _____
13. 지역 사회, 공동체 _____
14. 인구, 주민 _____
15. 관련시키다 _____
16. 처벌 _____

B 다음 이미지 어휘 중에서 문맥에 알맞은 것을 고르시오.

crime   responsible   punish

1. I'll _____ you if you tell a lie.

2. I am _____ for the environmental matter.

3. The man decided not to commit a _____ again.

tell a lie 거짓말하다

environmental 환경의

commit 저지르다

C 다음 우리말에 맞도록 네모 안에서 알맞은 말을 고르시오.

1. 여러분의 협조와 배려에 감사드립니다.
   ➡ Thank you for your socialization / cooperation and consideration.

consideration 배려

2. 흑인은 미국 인구의 12퍼센트를 구성한다.
   ➡ Black people constitute 12 percent of the US community / population .

constitute 구성하다

3. 그녀의 말이 거짓이라는 증거는 없다.
   ➡ There is no evidence / evident that her words are false.

false 거짓의

4. 법정은 그에게 무죄를 판결했다.
   ➡ The court found him innocent / guilty .

court 법정

3 정치

☐ **govern**	통 다스리다, 통치하다 *government 명 통치; 정부	The King didn't know how to govern. 그 왕은 통치하는 방법을 몰랐다.
☐ **unify**	통 통일하다, 통합하다(unite) ↔ divide 분리하다, 나누다 *unification 명 통일	The Berlin Wall fell and Germany was unified in 1990. 1990년에 베를린 장벽이 무너졌고 독일이 통일되었다.
☐ **security**	명 안전, 보안 *secure 형 안전한 통 안전하게 하다	Security is one of the most important issues in a bank. 은행에서 보안은 가장 중요한 문제들 중 하나이다.
☐ **welfare**	명 복지, 복리(well-being) [연어] child welfare 아동 복지	Sweden's social welfare system is known to everybody. 스웨덴의 사회복지 시스템은 모든 사람들에게 알려져 있다.
☐ **public**	명 대중, 일반 사람들 형 공공의, 대중의; 공적인 ↔ private 사적인 [연어] public opinion 여론	Public opinion was ignored by the government. 여론은 정부에 의해 무시당했다.
☐ **freedom**	명 자유(liberty) *free 형 자유로운; 공짜의	I wrote a poem in praise of freedom. 나는 자유를 찬양하는 시를 한 편 썼다.

4 외교

☐ **diplomat**	명 외교관 *diplomacy 명 외교(술)	He is a diplomat at the Korean Embassy in London. 그는 런던 주재 한국 대사관의 외교관이다.
☐ **negotiate**	통 협상하다, 교섭하다 *negotiation 명 협상, 교섭	The two countries started to negotiate in public. 그 두 나라는 공개적인 협상을 시작했다.
☐ **colony**	명 식민지 *colonial 형 식민지의	Hong Kong was a colony of the U.K. 홍콩은 영국의 식민지였다.
☐ **independence**	명 독립 ↔ dependence 의존 *independent 형 독립한	He devoted his life to the independence movement. 그는 독립 운동에 그의 인생을 헌신했다.
☐ **conflict**	명 갈등, 대립, 충돌 통 충돌하다, 대립하다 [연어] racial conflict 인종 갈등	There was constant conflict between the neighbors. 이웃 사이에 지속적인 갈등이 있었다.
☐ **agreement**	명 동의, 합의, 협정 [연어] reach the agreement 합의에 도달하다 *agree 통 동의하다, 일치하다	They reached an agreement after a long negotiation. 그들은 오랜 협상 끝에 합의에 도달했다.

A 다음 영어는 우리말로, 우리말은 영어로 쓰시오.

1. public _____

2. govern _____

3. negotiate _____

4. independence _____

5. unify _____

6. welfare _____

7. conflict _____

8. diplomat _____

9. 안전, 보안 _____

10. 자유 _____

11. 식민지 _____

12. 동의, 합의, 협정 _____

13. 통치; 정부 _____

14. 외교(술) _____

15. 독립한 _____

16. 협상; 교섭 _____

B 다음 이미지 어휘를 활용하여 문맥에 알맞은 형태로 고쳐 쓰시오.

conflict   unify   diplomat

1. He is a _____ at the Korean Embassy in London.

2. There was constant _____ between the neighbors.

3. The Berlin Wall fell and Germany was _____ in 1990.

embassy 대사관

constant 끊임없는

C 다음 우리말에 맞도록 네모 안에서 알맞은 말을 고르시오.

1. 은행에서 보안은 가장 중요한 문제들 중 하나이다.

➡ Security / Welfare is one of the most important issues in a bank.

issue 문제

2. 나는 자유를 찬양하는 시를 한 편 썼다.

➡ I wrote a poem in praise of conflict / freedom .

poem 시
in praise of ~을 찬양하는

3. 홍콩은 영국의 식민지였다.

➡ Hong Kong was a independence / colony of the U.K.

4. 그들은 오랜 협상 끝에 합의에 도달했다.

➡ They reached an agree / agreement after a long negotiation.

negotiation 협상

대표 예제 1

다음 문장의 빈칸에 알맞지 <u>않은</u> 것은?

> We should respect individual _____.

① life
② choice
③ opinion
④ conflict
⑤ freedom

개념 가이드

"우리는 개인의 _____를 존중해야 한다."는 뜻이므로, 빈칸에 알맞은 것은 ① 생활 ② 선택 ③ [   ] ⑤ [   ] 이다.

답 의견, 자유

대표 예제 2

다음 중 〈보기〉와 짝지어진 단어의 관계가 <u>다른</u> 것은?

> • 보기 •
> secure – security

① responsible – responsibility
② criminal – crime
③ evident – evidence
④ independent – independence
⑤ diplomacy – diplomat

개념 가이드

〈보기〉는 '형용사(안전한) – [   ](안전)'의 관계이다. ① 책임이 있는 – 책임 ② 범죄의 – 범죄 ③ 명백한 – 증거 ④ 독립한 – [   ] ⑤ 외교 – 외교관

답 명사, 독립

대표 예제 3

다음 네모 안에서 문맥에 알맞은 말을 골라 쓰시오.

> A virtual world is a space for an online ┃colony / community┃ which looks almost like the real world.
>
>
> Ready Player One

➡ _____

개념 가이드

virtual world: [   ] (↔ real world 실제 세계)
online [   ]: 온라인 커뮤니티

답 가상 세계, community

대표 예제 4

다음 문장의 빈칸에 공통으로 알맞은 말을 쓰시오.

> (A) It's illegal to park your car on a _____ street.
> (B) The bus and the subway are types of _____ transportation.
> (C) The people were harshly criticized by the _____.

➡ _____

개념 가이드

[   ]은 명사로는 '대중, 일반 사람들'의 뜻이 있고, 형용사로는 '공공의, [   ], 공적인'의 뜻이 있다.

답 public, 대중의

대표 예제 5

다음 우리말과 같도록 할 때 빈칸에 가장 알맞은 것은?

머리 길이에 대한 규제는 개인의 권리를 침해하는 것이라고 학생들은 주장했다.

➡ Students claimed that regulations on hair length _____ individual rights.

① judge　　② violate　　③ punish
④ secure　　⑤ negotiate

개념 가이드

'위반하다'라는 뜻의 단어는 [   ]를 쓴다. ① 판단하다 ③ 벌주다 ④ 안전하게 하다 ⑤ [   ]

답 violate, 협상하다

대표 예제 6

다음 중 밑줄 친 단어의 쓰임이 어색한 것은?

① Sometimes we are governed by our emotions.
② Schools play a major role in socialization of an individual.
③ The diplomat commanded him to appear in court.
④ We should pay attention to the children's welfare.
⑤ We need to settle conflicts in accordance with laws.

개념 가이드

'[   ]이 그에게 법정에 출두하라고 지시했다.'라는 내용은 어색하다. 법정의 출두 지시는 '판사'가 하는 것이 자연스러우므로 dipomat를 [   ]로 고쳐 쓴다.

답 외교관, judge

대표 예제 7

다음 중 밑줄 친 단어의 우리말 뜻이 잘못된 것은?

① West and East Germany were unified in 1991. (통일하다)
② Sam was innocent; nevertheless, the jury decided that he was guilty. (무죄의)
③ She said that she would punish any student for using the word. (상을 주다)
④ He thinks that freedom is a sacred right. (자유)
⑤ The country was a colony hundreds of years ago. (식민지)

개념 가이드

'상을 주다'는 [   ] a prize를 쓰고, '벌주다'는 [   ]를 쓴다.

답 award(give), punish

대표 예제 8

(A), (B)의 각 네모에서 알맞은 말을 골라 쓰시오.

(A) With a public / population of about 10,000, Nauru is the smallest country in the South Pacific. ✎고1 9월 응용

(B) "You are what you eat." That phrase is often used to show the cooperation / relationship between the foods you eat and your physical health. ✎고1 3월 응용

(A) _____　　　　(B) _____

개념 가이드

(A) 관사 a가 나왔으므로 뒤에는 명사 [   ]이 와야 한다.
(B) cooperation은 '협력, 협조'의 뜻이고 relationship은 '[   ]'의 뜻이다.

답 population, 관계

문화·예술

folk

festival

diversity

sacrifice

faith

religion

sculpture

architecture

gallery

literature

poetry

문학

genre

Quiz

다음 문장의 빈칸에 알맞은 말을 고르시오.

1 Winter is the time for various snow and ice _____ . (① festivals   ② seasons)

2 The Impressionist _____ is very popular. (① gallery   ② garage)

1 문화

☐ **civilization**	명 문명(사회) * **civilize** 동 문명화하다, 개화하다 * **civilized** 형 문명적인, 개화한	We were amazed by the outstanding building skills of the Inca civilization. 우리는 잉카 문명의 뛰어난 건축 기술에 놀랐다.
☐ **diverse**	형 다양한(various) * **diversity** 명 다양성(variety)	The movie attracted a diverse audience. 그 영화는 다양한 관객을 끌어모았다.
☐ **heritage**	명 유산, 전통 [연어] the cultural **heritage** 문화유산	The government decided to protect their cultural heritage. 정부는 그들의 문화유산을 보호하기로 결정했다.
☐ **custom**	명 1. 관습, 풍습 2. 습관 3. (-s) 세관 [연어] a local **custom** 지방의 관습	It's an old family custom. 그것은 집안의 오래된 풍습이다.
☐ **folk**	형 민속의, 전통적인 명 민속 음악, 민요 [연어] **folk** village 민속촌	"Arirang" is the most popular folk song in Korea. 〈아리랑〉은 한국에서 가장 유명한 민요이다.
☐ **festival**	명 축제 형 축제의	We are organizing a large festival. 우리는 큰 축제를 준비하고 있다.

2 종교

☐ **sacred**	형 신성한, 성스러운(holy) [연어] **sacred** place 성지	Cows are sacred to Hindus. 소는 힌두교도들에게 성스러운 존재이다.
☐ **spirit**	명 정신, 마음, 영혼 [연어] in **spirit** 마음속으로 * **spiritual** 형 정신의, 정신적인	My grandmother is 80, but she remains young in spirit. 나의 할머니는 여든이시지만, 마음은 젊게 유지하신다.
☐ **faith**	명 신앙심; 믿음, 신뢰 * **faithful** 형 충실한, 신뢰할 만한	Susan broke my faith in her. Susan은 그녀에 대한 나의 신뢰를 깨뜨렸다.
☐ **sacrifice**	동 희생하다 명 희생	You sometimes have to sacrifice the lesser for the greater. 때로는 더 큰 것을 위해 더 작은 것을 희생해야 한다.
☐ **religion**	명 종교, 신조 * **religious** 형 종교의, 독실한	This war is related to religion. 이 전쟁은 종교와 관련되어 있다.
☐ **dedicate**	동 바치다, 헌신하다(devote) * **dedication** 명 헌납, 봉헌	Edison dedicated himself to scientific research. Edison은 과학 연구에 헌신하였다.

정답과 해설 37쪽

3일

A 다음 영어는 우리말로, 우리말은 영어로 쓰시오.

1. diverse _____
2. folk _____
3. spirit _____
4. dedicate _____
5. sacred _____
6. heritage _____
7. religion _____
8. civilization _____

9. 관습; 습관; 세관 _____
10. 축제; 축제의 _____
11. 신앙심; 믿음 _____
12. 희생하다; 희생 _____
13. 다양성 _____
14. 종교의; 독실한 _____
15. 문명화하다, 개화하다 _____
16. 헌납, 봉헌 _____

B 다음 이미지 어휘 중에서 문맥에 알맞은 것을 고르시오.

1. The government decided to protect their cultural _____.

2. The movie attracted a _____ audience.

3. You sometimes have to _____ the lesser for the greater.

government 정부
protect 보호하다
attract 마음을 끌다

lesser 더 적은

C 다음 우리말에 맞도록 네모 안에서 알맞은 말을 고르시오.

1. 그것은 집안의 오래된 풍습이다.
   ➡ It's an old family [custom / festival].

2. 우리는 잉카 문명의 뛰어난 건축 기술에 놀랐다.
   ➡ We were amazed by the outstanding building skills of the Inca [heritage / civilization].

3. 이 전쟁은 종교와 관련되어 있다.
   ➡ This war is related to [spirit / religion].

4. Susan은 그녀에 대한 나의 신뢰를 깨뜨렸다.
   ➡ Susan broke my [sacrifice / faith] in her.

be amazed by ~에 놀라다
outstanding 뛰어난

be related to ~와 관련되어 있다

3 예술

☐ visual	형 시각의, 눈에 보이는(visible) *vision 명 시각, 시력; 통찰력 [연어] visual arts 시각 예술	The film has excellent visual effects. 그 영화는 시각 효과가 훌륭하다.
☐ sculpture	명 조각, 조각품 동 조각하다 *sculptor 명 조각가	We can enjoy fantastic ice sculptures there. 우리는 거기에서 환상적인 얼음 조각품들을 즐길 수 있다.
☐ architecture	명 건축(술), 건축학, 건축 양식 *architect 명 건축가	We can learn a lot from Greek architecture. 우리는 그리스 건축 양식으로부터 많은 것을 배울 수 있다.
☐ gallery	명 화랑, 미술관	The gallery houses 2,000 works of modern art. 그 미술관에서는 현대 회화 2,000점을 소장하고 있다.
☐ exhibit	동 진열하다, 전시하다 명 전시품 *exhibition 명 전시회, 전시	I'll exhibit the work tomorrow. 나는 내일 그 작품을 전시할 것이다.
☐ composer	명 작곡가 *compose 동 작곡하다; 구성하다 *composition 명 작문, 작곡; 구성	Selina was determined to be a composer. Selina는 작곡가가 되기로 결심했다.

4 문학

☐ poetry	명 (집합적) 시 cf. poem 명 (한 편의) 시	Sam's poetry has a good deal of political content. Sam의 시는 정치적 내용을 많이 다룬다.
☐ publish	동 출판하다, 발행하다 *publication 명 출판	The results of the research were published as a book in 2010. 그 연구 조사 결과는 2010년에 책으로 발행되었다.
☐ genre	명 장르, 종류	This movie is a monument in the SF genre. 이 영화는 SF 장르의 기념비적인 작품이다.
☐ biography	명 전기 *autobiography 명 자서전	A biography is an account of a person's life written by someone else. 전기는 다른 누군가가 쓴 한 사람의 일대기이다.
☐ criticism	명 비평, 평론 *critic 명 비평가 [연어] literary criticism 문학 평론 *criticize 동 비평하다, 비판하다	His painting has received harsh criticism. 그의 그림은 가혹한 비평을 받았다.
☐ literary	명 문학의 *literature 명 문학	He works as a literary critic for The Times. 그는 〈타임지〉에서 문학 비평가로 일한다.

정답과 해설 37쪽

A 다음 영어는 우리말로, 우리말은 영어로 쓰시오.

1. visual _____
2. architecture _____
3. exhibit _____
4. biography _____
5. publish _____
6. composer _____
7. criticism _____
8. literary _____

9. 조각, 조각품 _____
10. 비평하다; 비판하다 _____
11. (집합적) 시 _____
12. 장르, 종류 _____
13. 시각, 시력; 통찰력 _____
14. 전시회; 전시 _____
15. 자서전 _____
16. 화랑, 미술관 _____

B 다음 이미지 어휘 중에서 문맥에 알맞은 것을 쓰시오.

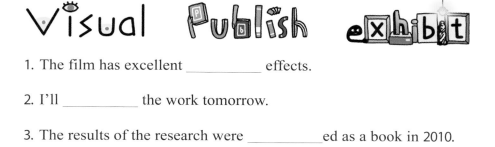

1. The film has excellent _____ effects.

2. I'll _____ the work tomorrow.

3. The results of the research were _____ed as a book in 2010.

excellent 뛰어난
effect 효과
work 작품

result 결과

C 다음 우리말에 맞도록 네모 안에서 알맞은 말을 고르시오.

1. 그 미술관에서는 현대 회화 2,000점을 소장하고 있다.
   ➡ The [genre / gallery] houses 2,000 works of modern art.

2. 우리는 거기에서 환상적인 얼음 조각품들을 즐길 수 있다.
   ➡ We can enjoy fantastic ice [composers / sculptures] there.

3. 그는 〈타임지〉에서 문학 비평가로 일한다.
   ➡ He works as a [literary / literature] critic for *The Times*.

4. Sam의 시는 정치적 내용을 많이 다룬다.
   ➡ Sam's [poet / poetry] has a good deal of political content.

house 소장하다
modern art 현대 미술

fantastic 환상적인

critic 비평가

political 정치적인
content 내용

대표 예제 1

다음 문장의 빈칸에 가장 알맞은 것은?

The walls are decorated with _____ that describe events in the Bible.

① sculptures   ② galleries
③ heritages   ④ customs
⑤ architectures

개념 가이드

① [   ] ② 화랑들 ③ 유산들 ④ 관습들 ⑤ [   ]

답 조각품들, 건축들

대표 예제 2

다음 중 〈보기〉와 짝지어진 단어의 관계가 <u>다른</u> 것은?

● 보기 ●
vision – visual

① spirit – spiritual
② literature – literary
③ religion – religious
④ faith – faithful
⑤ exhibition – exhibit

개념 가이드

〈보기〉는 '명사 – 형용사' 관계이다. ① 정신 – 정신의 ② 문학 – 문학의 ③ [   ] – 종교의 ④ 신앙심 – [   ] ⑤ 전시 – 전시하다

답 종교, 충실한

대표 예제 3

✎ 고1 9월 모의

다음 네모 안에서 문맥에 알맞은 말을 골라 쓰시오.

Her work on vitamin B₁₂ was punished / published in 1954, which led to her being awarded the Nobel Prize in Chemistry in 1964.

➡ _____

개념 가이드

punish는 '[   ]'의 뜻이고, publish는 '[   ]; 발행하다'의 뜻으로 철자가 혼동하기 쉬우므로 유의한다.

답 벌주다, 출판하다

대표 예제 4

다음 문장의 빈칸에 공통으로 알맞은 말을 쓰시오.

(A) The _____ of erecting a Christmas tree originated in Germany.
(B) As was his _____ , he knocked three times.
(C) The _____s officials turned the man over to the police.

➡ _____

개념 가이드

다의어로 (A)는 '[   ]'의 뜻이고, (B)는 '습관', (C)는 '[   ]'의 뜻이다.

답 관습, 세관

대표 예제 **5**

다음 우리말과 같도록 할 때 빈칸에 가장 알맞은 것은?

Teresa 수녀의 전기는 David에게 오래도록 감명을 주었다.

➡ The _____ of Mother Teresa made a lasting impression on David.

① architect
② composer
③ biography
④ literature
⑤ autobiography

개념 가이드

① 건축가 ② 작곡가 ③ [   ] ④ 문학 ⑤ [   ]

답 전기, 자서전

대표 예제 **6**

다음 중 밑줄 친 단어의 쓰임이 어색한 것은?

① This musical is an example of the hip-hopera genre.
② I'm sick to death of your endless criticize.
③ Ancient people considered the mountain to be a sacred place.
④ The case went to court, and the composers won on appeal.
⑤ He asked me to attend the school festival.

개념 가이드

② be sick to death of(~에 신물이 나다)의 뒤에 [   ]나 동명사가 와야 한다. criticize는 동사이므로 명사형 [   ]을 쓴다.

답 명사, criticism

대표 예제 **7**

다음 중 밑줄 친 단어의 우리말 뜻이 잘못된 것은?

① Don't force him to sacrifice himself. (만족시키다)
② The Folk Village located in Yong-in is the best tourist attraction. (민속의)
③ She accepted the criticism with quiet dignity. (비판)
④ You can meet people from diverse cultures while traveling. (다양한)
⑤ She was very dedicated to helping students, so she even worked on weekends. (헌신적인)

개념 가이드

sacrifice는 명사와 동사 모두 쓰이며 '희생; [   ]'의 뜻이다. '만족시키다'는 [   ]이다.

답 희생하다, satisfy

대표 예제 **8**

(A), (B), (C)의 각 네모에서 알맞은 말을 골라 쓰시오.

(A) They believed it was necessary to [civilize / civilized] the native people.
(B) Most [poet / poetry] does not translate well.
(C) Wharton also had a great love of [architect / architecture], and she designed and built her first real home. *고1 9월 모의*

(A) _____   (B) _____   (C) _____

개념 가이드

(A) [   ] / 개화한 (B) 시인 / 시 (C) 건축가 / [   ]

답 개화하다, 건축

4일 여가 활동

Journey

sightseeing

flight

souvenir

adventure

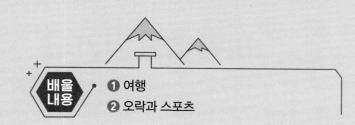

Quiz

다음 문장의 빈칸에 알맞은 말을 고르시오.

1 They set out on the last stage of their _____ . (① resort   ② journey)

2 Allow your muscles to _____ completely. (① relax   ② compete)

답 1 ②   2 ①

1 여행

☐ **journey**	명 (주로 육지에서의 긴) **여행** *cf.* **travel** 가장 일반적인 의미의 여행 　**trip** 비교적 짧은 여행 　**tour** 주로 관광이나 시찰 목적의 여행	I was tired from the long journey. 나는 장거리 여행으로 피곤했다.
☐ **reservation**	명 예약; 보류 *reserve 동 예약하다; 보류하다 *reserved 형 예약한; 보류한; 소심한	I'd like to make a reservation for next Saturday night. 다음 주 토요일 밤으로 예약하고 싶어요.
☐ **resort**	명 휴양지; 의지 동 의지하다 [연어] a summer **resort** 피서지	Taormina is well-known as a summer resort. Taormina는 피서지로 유명하다.
☐ **delay**	명 지연, 연기 동 지연시키다, 미루다(put off, postpone) [숙어] without **delay** 지체 없이, 곧	I apologize for the delay in answering your e-mail. 당신의 이메일에 답변하는 것이 지체되어 사과드립니다.
☐ **flight**	명 1. 항공편 2. 비행 3. 도주 [혼동어] fright 명 공포 *fly 동 날다(–flew–flown)	My flight was delayed for two hours. 내가 탈 비행기가 두 시간 연착되었다.
☐ **destination**	명 목적지, 도착지	Madrid is one of the most popular holiday destinations. Madrid는 가장 인기 있는 휴가지 중의 한 곳이다.
☐ **sightseeing**	명 관광 [숙어] go sightseeing 관광하러 가다	I went sightseeing around the Eiffel Tower today. 나는 오늘 에펠 탑으로 관광을 갔다.
☐ **souvenir**	명 기념품, 선물	The souvenir shop was crowded with Chinese tourists. 기념품 가게는 중국인 관광객들로 붐볐다.
☐ **scenery**	명 경치, 풍경 *scenic 형 경치가 좋은	The scenery varies from season to season. 경치는 철에 따라 달라진다.
☐ **adventure**	명 모험 *adventurous 형 모험을 좋아하는, 모험적인	This trip should be a great adventure. 이번 여행은 굉장한 모험이 될 것이다.
☐ **accommodation**	명 숙박 시설; 편의 *accommodate 동 편의를 제공하다	The accommodation is simple but spacious. 그 숙소는 소박하지만 공간이 넓다.
☐ **visa**	명 비자, 사증(출입국 허가증)	Foreigners should extend their visa every year. 외국인들은 매년 그들의 비자를 연장해야 한다.
☐ **passport**	명 여권	You need a passport to cross the border. 국경을 넘으려면 여권이 있어야 한다.

A 다음 영어는 우리말로, 우리말은 영어로 쓰시오.

1. destination _____
2. reservation _____
3. adventure _____
4. delay _____
5. scenery _____
6. sightseeing _____
7. resort _____
8. passport _____

9. 항공편; 비행; 도주 _____
10. (육지에서의 긴) 여행 _____
11. 비자, 사증 _____
12. 기념품, 선물 _____
13. 숙박 시설, 편의 _____
14. 경치가 좋은 _____
15. 예약하다; 보류하다 _____
16. 편의를 제공하다 _____

B 다음 이미지 어휘 중에서 문맥에 알맞은 것을 고르시오.

destination   delay   journey

1. I apologize for the _____ in answering your e-mail.

2. I was tired from the long _____.

3. Madrid is one of the most popular holiday _____s.

apologize 사과하다

popular 인기 있는

C 다음 우리말에 맞도록 네모 안에서 알맞은 말을 고르시오.

1. 내가 탈 비행기가 두 시간 연착되었다.
   ➡ My | flight / visa | was delayed for two hours.

2. 다음 주 토요일 밤으로 예약하고 싶습니다.
   ➡ I'd like to make a | destination / reservation | for next Saturday night.

3. 경치는 철에 따라 달라진다.
   ➡ The | scenic / scenery | varies from season to season.

4. 그 숙소는 소박하지만 공간이 넓다.
   ➡ The | resort / accommodation | is simple but spacious.

delay 지연시키다

vary 다양하다
from season to season
   계절마다

spacious 공간이 넓은

4 ^일 어휘 핵심 정리 ②

2 오락과 스포츠

☐ **fashion**	명 유행, 인기, 패션 [연어] fashion designer 패션 디자이너	She dreams of becoming a fashion designer. 그녀는 패션 디자이너가 되는 것을 꿈꾼다.
☐ **magazine**	명 잡지	The magazine is published monthly. 그 잡지는 매달 발행된다.
☐ **trend**	명 경향, 추세(tendency); 유행(fashion) [연어] economic trend 경제 동향	There is a trend toward shorter working hours. 근무 시간이 점점 짧아지는 추세이다.
☐ **entertainment**	명 연예, 오락물 *entertain 동 즐겁게 해 주다	The show was a good family entertainment. 그 쇼는 괜찮은 가족 오락물이었다.
☐ **competition**	명 경쟁, 대회 *compete 동 경쟁하다 *competitive 형 경쟁의, 경쟁적인	There was a bitter competition to control the market. 시장을 지배하기 위한 치열한 경쟁이 있었다.
☐ **relax**	동 휴식을 취하다, 긴장을 풀다 *relaxation 명 휴식	Do yoga to relax tense muscles. 긴장한 근육을 풀기 위해 요가를 해라.
☐ **athlete**	명 운동선수, 경기자 *athletic 형 운동선수의, 운동경기의	The athlete is in the prime of life. 그 운동선수는 인생의 전성기에 있다.
☐ **professional**	형 전문적인, 직업의 명 전문직 종사자 ↔ amateur 비전문가, 아마추어	I heard that you were a professional soccer player. 나는 당신이 프로 축구 선수였다고 들었어요.
☐ **victory**	명 승리(triumph) [연어] a decisive victory 결정적인 승리	A last-minute goal robbed the team of victory. 마지막 순간에 터진 골이 그 팀에게서 승리를 앗아가 버렸다.
☐ **opponent**	명 상대, 적수(rival, enemy) 형 반대의 *oppose 동 반대하다	Kevin beat his opponent in the first round. Kevin은 1라운드에서 상대 선수를 넘어뜨렸다.
☐ **leisure**	명 여가, 틈 *leisurely 형 느긋한, 여유로운 부 느긋하게	He usually plays games in his leisure time. 그는 여가 시간에 보통 게임을 한다.
☐ **defeat**	명 패배 ↔ victory, triumph 승리 동 (상대방을) 패배시키다, 이기다 cf. win 동 (경쟁, 전쟁, 경기 등에서) 이기다	He defeated last year's champion. 그는 작년도 챔피언을 이겼다.
☐ **cheer**	명 환호, 응원 동 응원하다, 기분 좋게 하다 *cheerful 형 발랄한, 기분이 좋은(merry)	Everyone burst with excited shouts and unending cheers for the players. 모두가 선수들을 향한 들뜬 외침과 끝없는 환호성을 터뜨렸다.

A 다음 영어는 우리말로, 우리말은 영어로 쓰시오.

1. relax _____
2. leisure _____
3. trend _____
4. defeat _____
5. competition _____
6. opponent _____
7. professional _____
8. athlete _____

9. 경쟁하다 _____
10. 반대하다 _____
11. 환호, 응원; 응원하다 _____
12. 유행, 인기, 패션 _____
13. 연예, 오락물 _____
14. 승리 _____
15. 경쟁의, 경쟁적인 _____
16. 잡지 _____

B 다음 이미지 어휘 중에서 문맥에 알맞은 것을 쓰시오.

  relax

1. The _____ is published monthly.

2. Do yoga to _____ tense muscles.

3. I heard that you were a _____ soccer player.

publish 출판하다
monthly 매월, 한 달에 한 번
tense muscle 긴장된 근육

C 다음 우리말에 맞도록 네모 안에서 알맞은 말을 고르시오.

1. 그 쇼는 괜찮은 가족 오락물이었다.
   ➡ The show was a good family | leisure / entertainment |.

2. 그녀는 패션 디자이너가 되는 것을 꿈꾼다.
   ➡ She dreams of becoming a | fashion / magazine | designer.

dream of -ing ~하기를 꿈
꾸다

3. 모두가 선수들을 향한 들뜬 외침과 끝없는 환호성을 터뜨렸다.
   ➡ Everyone burst with excited shouts and unending | competitions / cheers | for the players.

burst 터뜨리다
unending 끝임없는

4. 마지막 순간에 터진 골이 그 팀에게서 승리를 앗아가 버렸다.
   ➡ A last-minute goal robbed the team of | defeat / victory |.

last-minute 마지막 순간의

대표 예제 1

다음 문장의 밑줄 친 단어와 의미가 같은 것은?

> It is a recent <u>trend</u> to get married at a later age.

① cheer ② delay
③ tendency ④ souvenir
⑤ leisure

개념 가이드

① 환호 ② 지연; 미루다 ③ [   ] ④ 기념품, 선물 ⑤ [   ], 틈

답 경향, 여가

대표 예제 2

다음 중 〈보기〉와 짝지어진 단어의 관계가 <u>다른</u> 것은?

> • 보기 •
> reserve – reservation

① relax – relaxation
② destiny – destination
③ compete – competition
④ entertain – entertainment
⑤ accommodate – accommodation

개념 가이드

〈보기〉'예약하다 – 예약'(동사 – 명사의 관계) ① 긴장을 풀다 – 휴식 ② [   ] – 목적지 ③ 경쟁하다 – 경쟁 ④ 즐겁게 해 주다 – 오락물 ⑤ [   ] – 숙박 시설 **답** 운명, 편의를 제공하다

대표 예제 3

고1 9월 응용

다음 네모 안에서 문맥에 알맞은 말을 골라 쓰시오.

> The third match proved to be more difficult, but after some time, his [athlete / opponent] became impatient and charged; the boy skillfully used his one move to win the match.

➡ _____

개념 가이드

경기 게임 중 상대 선수에 대한 설명을 하고 있으므로 '[   ], 적수'의 뜻인 [   ]를 쓴다.

답 상대, opponent

대표 예제 4

고1 3월 응용

다음 빈칸에 delay의 알맞은 형태를 쓰시오.

> (A) Contrary to my plan, the flight was _____.
> (B) I want this work finished without _____.
> (C) Several pedestrians blocked the way, _____ the ambulance's arrival.

(A) _____
(B) _____
(C) _____

개념 가이드

(A) '비행기가 연착되었다'는 뜻이므로 수동태(be+[   ])로 쓴다. (B) without [   ]: 지체 없이 (C) 보행자들이 구급차를 지연시켰으므로 능동 의미의 현재분사로 쓴다. **답** 과거분사, delay

대표 예제 5

다음 우리말과 같도록 할 때 빈칸에 알맞은 것은?

> 비행기 승무원은 그에게 자리에 앉아 있으라고 요청했다.
>
> ➡ The _____ attendant requested for him to remain seated.
>
>

① fright   ② athlete   ③ flight
④ resort   ⑤ accommodation

개념 가이드

① 공포 ② [　　　] ③ [　　　] ④ 휴양지 ⑤ 숙박 시설

답 운동선수, 비행기

대표 예제 6

다음 중 밑줄 친 단어의 쓰임이 어색한 것은?

① My younger sister is a slave to fashion.
② She's a professional photographer.
③ It was a really thrilling victory.
④ My family went on a sightsee trip to Rome.
⑤ Mark Twain is the author of *The Adventures of Tom Sawyer*.

개념 가이드

sightsee는 '관광 여행하다'는 뜻의 [　　　]이다. '관광 여행'은 [　　　] trip을 쓴다.

답 동사, sightseeing

대표 예제 7

다음 중 밑줄 친 단어의 우리말 뜻이 잘못된 것은?

① Two brothers went on a journey. (여행)
② I read the tip in a magazine. (잡지)
③ She searched in vain for her passport. (여권)
④ Volcanoes attract tourists with fantastic scenery. (경치)
⑤ I'm going to go to the embassy to apply for a visa. (카드)

개념 가이드

대사관에서 신청하는 출입국 허가증으로 '[　　　], 사증'이라고 한다. 영어로는 [　　　]로 쓴다.

답 비자, visa

대표 예제 8

(A), (B), (C)의 각 네모에서 알맞은 말을 골라 쓰시오.

> (A) [Reservations / Destinations] may be cancelled without notice.
> (B) We enjoy [leisure / leisurely] activities on weekends.
> (C) Sometimes, there is something that counts more than victory or [competition / defeat].

(A) _____   (B) _____   (C) _____

개념 가이드

(A) [　　　] / 목적지 (B) 여가 / 느긋하게 (C) 경쟁 / [　　　]

답 예약, 패배

5 과학·기술과 정보

생각
열기

molecule

telescope

vapor

experiment

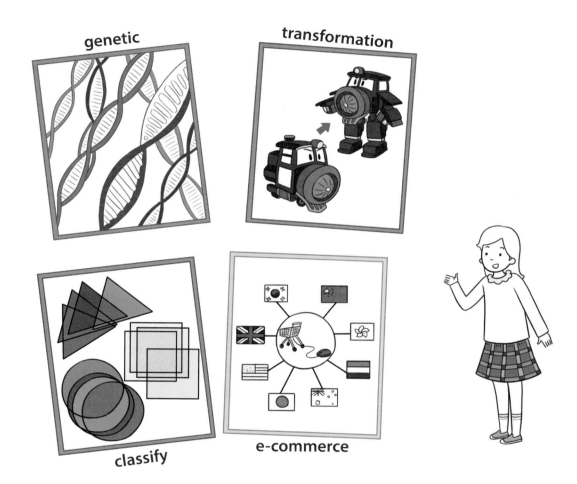

genetic

transformation

classify

e-commerce

Quiz

다음 문장의 빈칸에 알맞은 말을 고르시오.

1 _____ discoveries have changed the world for the better. (① Science   ② Scientific)

2 It is probable that the disease has a _____ element. (① genetic   ② genetics)

답 1 ② 2 ①

5일  어휘 핵심 정리 ❶

1 과학

☐ **scientific**	형 과학의, 과학적인 *science 명 과학 *scientist 명 과학자	There are some scientific mistakes in sci-fi movies. 공상 과학 영화에는 몇 가지 과학적인 실수가 있다.
☐ **discovery**	명 발견 *discover 동 발견하다	The discovery of DNA won him the Nobel Prize. 그는 DNA의 발견으로 노벨상을 받았다.
☐ **laboratory**	명 실험실, 실습실(lab) [연어] language laboratory 어학 실습실	She was in the laboratory for a chemical experiment. 그녀는 화학 실험을 위해 실험실에 있었다.
☐ **explore**	동 탐험하다; 탐색하다 *exploration 명 탐험	I had a chance to explore historic sites last month. 나는 지난달에 유적지를 답사할 기회가 있었다.
☐ **telescope**	명 망원경 cf. microscope 명 현미경	The telescope was pointing in the wrong direction. 그 망원경은 엉뚱한 방향으로 향하고 있었다.
☐ **theory**	명 이론 [연어] theory and practice 이론과 실제	The theory is not accepted by all scientists. 그 이론이 모든 과학자들에 의해 받아들여지는 것은 아니다.
☐ **molecule**	명 분자 *molecular 형 분자의 cf. atom 명 원자 atomic 형 원자의	The atoms bond together to form a molecule. 원자들이 함께 결합하여 분자를 형성한다.
☐ **vapor**	명 증기 동 증발하다(evaporate)	Water turns to vapor when it boils at 100°C. 물은 100°C에서 끓을 때 수증기로 변한다.
☐ **liquid**	명 액체 형 액체의 cf. solid 명 고체 형 고체의, 단단한	Water is a liquid, and ice is a solid. 물은 액체이고, 얼음은 고체이다.
☐ **matter**	명 1. 물질, 재료 2. 문제, 일 동 중요하다(count) [연어] solid matter 고체	All matter is solid, liquid, or gas. 모든 물질은 고체이거나 액체이거나 또는 기체이다.
☐ **chemical**	명 화학 물질 형 화학의, 화학적인 [연어] a chemical reaction 화학 반응	This chemical reaction forms the carbon dioxide bubbles. 이 화학 반응으로 이산화탄소 기포가 생긴다.
☐ **mixture**	명 혼합(물) *mix 동 섞다, 혼합하다 명 혼합	Pour the mixture into the pan and spread it evenly. 그 혼합물을 프라이팬에 붓고 균일하게 펴라.

A 다음 영어는 우리말로, 우리말은 영어로 쓰시오.

1. mixture _____
2. molecule _____
3. vapor _____
4. chemical _____
5. explore _____
6. scientific _____
7. laboratory _____
8. telescope _____

9. 이론 _____
10. 액체; 액체의 _____
11. 물질, 재료; 문제 _____
12. 발견 _____
13. 원자 _____
14. 고체; 고체의 _____
15. 섞다; 혼합하다 _____
16. 탐험 _____

B 다음 이미지 어휘 중에서 문맥에 알맞은 것을 고르시오.

1. Pour the _____ into the pan and spread it evenly.

2. I had a chance to _____ historic sites last month.

3. There are some _____ mistakes in sci-fi movies.

pour 붓다
spread evenly 고르게 펴다
historic site 유적지

sci-fi 공상 과학의(SF: science fiction)

C 다음 우리말에 맞도록 네모 안에서 알맞은 말을 고르시오.

1. 물은 100℃에서 끓을 때 수증기로 변한다.
   ➡ Water turns to vapor / molecule when it boils at 100°C.

boil 끓다

2. 그는 DNA의 발견으로 노벨상을 받았다.
   ➡ The discover / discovery of DNA won him the Nobel Prize.

3. 이 화학 반응으로 이산화탄소 기포가 생긴다.
   ➡ This chemical / chemistry reaction forms the carbon dioxide bubbles.

reaction 반응
carbon dioxide 이산화탄소

4. 그 망원경은 엉뚱한 방향으로 향하고 있었다.
   ➡ The microscope / telescope was pointing in the wrong direction.

direction 방향

2 기술과 정보

☐ **automatic**	📖 자동의 📖 자동 장치 *automation 📖 자동화	The automatic doors slide open as people approach. 자동문은 사람들이 가까이 오면 옆으로 밀리며 열린다.
☐ **device**	📖 1. 장치, 기기 2. 방법, 방책 *devise 📖 고안하다	She invented a device for lonely dogs left at home. 그녀는 집에 남겨진 외로운 개들을 위한 장치를 발명했다.
☐ **efficiency**	📖 효율(성), 능률 *efficient 📖 효율적인	Office automation increases efficiency. 사무 자동화는 효율성을 증대시킨다.
☐ **electric**	📖 전기의 *electricity 📖 전기, 전력	I felt an electric shock when I touch it. 그것을 만지자 전기가 올랐다.
☐ **genetic**	📖 유전의, 유전자의, 유전적인 *genetics 📖 유전학 [연어] genetic map 유전자 지도	Everybody has a unique set of genetic information. 모두가 일련의 독특한 유전자 정보를 가지고 있다.
☐ **engineering**	📖 공학 [연어] genetic engineering 유전 공학	He majored in genetic engineering in college. 그는 대학에서 유전 공학을 전공했다.
☐ **clone**	📖 복제 생물 📖 복제하다	The first successful clone was Dolly the sheep. 최초의 성공적인 복제는 Dolly라는 양이었다.
☐ **transformation**	📖 변형 *transform 📖 변형시키다	The paintings symbolize birth, death and transformation. 그 그림들은 탄생, 죽음, 변화(변형)를 상징화한 것이다.
☐ **analyze**	📖 분석하다 *analysis 📖 분석 *analyst 📖 분석가, 애널리스트 *analytic 📖 분석적인	Big data has to be analyzed by big data experts. 빅 데이터는 빅 데이터 전문가들에 의해 분석되어야 한다.
☐ **classify**	📖 분류하다 *classification 📖 분류	Korea is classified as a country with a serious water shortage. 한국은 심각한 물 부족 국가로 분류된다.
☐ **transmit**	📖 전송하다 *transmission 📖 전송	I transmitted a message up into space. 난 메시지를 우주로 보냈다.
☐ **access**	📖 접근 📖 접근하다(approach) *accessible 📖 이용 가능한, 접근하기 쉬운	Anyone can access the book online. 누구나 그 책에 온라인으로 접근할 수 있다.
☐ **e-commerce**	📖 전자 상거래(electronic commerce)	The development of e-commerce saves paper and energy. 전자 상거래의 발달은 종이와 에너지를 절약한다.

A 다음 영어는 우리말로, 우리말은 영어로 쓰시오.

1. efficiency _____
2. clone _____
3. transformation _____
4. classify _____
5. transmit _____
6. analyze _____
7. access _____
8. automatic _____

9. 장치, 기기; 방책 _____
10. 전자 상거래 _____
11. 공학 _____
12. 유전의, 유전자의 _____
13. 전기의 _____
14. 효율적인 _____
15. 분류 _____
16. 전송 _____

B 다음 이미지 어휘를 활용하여 빈칸에 알맞은 형태로 고쳐 쓰시오.

analyze   device   classify

1. Korea is _____ as a country with a serious water shortage.

2. She invented a _____ for lonely dogs left at home.

3. Big data has to be _____ by big data experts.

shortage 부족

invent 발명하다
lonely 외로운
expert 전문가

C 다음 우리말에 맞도록 네모 안에서 알맞은 말을 고르시오.

1. 최초의 성공적인 복제는 Dolly라는 양이었다.
   ➡ The first successful clone / device was Dolly the sheep.

successful 성공적인

2. 그것을 만지자 전기가 올랐다.
   ➡ I felt an electric / electricity shock when I touch it.

shock 충격
touch 닿다, 만지다

3. 그 그림들은 탄생, 죽음, 변화(변형)를 상징화한 것이다.
   ➡ The paintings symbolize birth, death and transform / transformation.

symbolize 상징화하다

4. 전자 상거래의 발달은 종이와 에너지를 절약한다.
   ➡ The development of commerce / e-commerce saves paper and energy.

development 발달

5일 적중 예상 베스트

다음 문장의 빈칸에 알맞은 것은?

> The native people of Nauru consist of 12 tribes, as symbolized by the 12-pointed star on the Nauru flag, and are believed to be a _____ of Micronesian, Polynesian, and Melanesian.

① theory ② access ③ discovery
④ mixture ⑤ device

개념 가이드

① [　　　　] ② 접근 ③ 발견 ④ [　　　　] ⑤ 장치, 기기

답 이론, 혼합(물)

대표 예제 2

다음 중 〈보기〉와 짝지어진 단어의 관계가 같은 것은?

> ● 보기 ●
> liquid – solid

① shortage – mixture
② theory – practice
③ automatic – genetic
④ efficiency – engineering
⑤ vapor – evaporate

개념 가이드

〈보기〉는 반의어 관계이다. ① 부족 – 혼합(물) ② [　　　　] – 실제 ③ [　　　　] – 유전자의 ④ 효율 – 공학 ⑤ 증발하다(유의어)

답 이론, 자동의(자동 장치)

대표 예제 3

다음 우리말과 같도록 빈칸에 알맞은 말을 쓰시오.

> 그는 스포츠 경기를 분석하고, 다른 사람들에게 스포츠 규칙을 설명하는 것에 능숙하다.
> ➡ He is good at _____ sports games and _____ sports rules to other people.

➡ _____

개념 가이드

be good at에 연결되는 동명사는 2개이고 '[　　　　](분석하는 것)'과 '[　　　　](설명하는 것)'이다.

답 analyzing, explaining

대표 예제 4

다음 문장의 빈칸에 공통으로 알맞은 말을 쓰시오.

> (A) Learning from failure is what really _____s.
> (B) He promised not to refer to the _____ again.
> (C) Atomic rearrangement can change the property of _____.

➡ _____

개념 가이드

다의어로 (A)는 '중요하다'는 뜻의 동사로 쓰였고, (B)는 '[　　　　],' (C)는 '[　　　　]'이라는 뜻의 명사로 쓰였다.

답 문제, 물질

5일

대표 예제 5

다음 우리말과 같도록 네모에서 알맞은 말을 골라 쓰시오.

그 과학자는 자신이 실험을 할 수 있는 실험실을 지을 것이다.

➡ The scientist will build a(n) exploration / laboratory where he can do experiments.

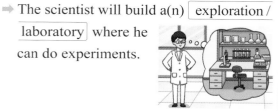

➡ _____

개념 가이드

exploration은 명사로 '_____'의 뜻이고, laboratory는 '_____'의 뜻으로 줄여서 lab으로도 쓰인다.

답 탐험, 실험실

대표 예제 6

다음 중 밑줄 친 단어의 쓰임이 어색한 것은?

① Practice is better than theory.
② They explored the pyramids with a guide.
③ The chemicals in cigarettes accelerate the aging process.
④ I will persuade people to switch to electricity cars.
⑤ We should be seeking a transformation of that culture.

개념 가이드

'전기 자동차'는 형용사를 써서 _____ car로 표현한다. ① 이론 ② 탐험했다 ③ 화학 물질 ④ _____ ⑤ 변형

답 electric, 전기

대표 예제 7

다음 중 밑줄 친 단어의 우리말 뜻이 잘못된 것은?

① Genre helps us to classify different types of a movie. (분류하다)
② All the rooms have access to the Internet. (접속)
③ A hot topic in today's business culture is e-commerce. (상거래)
④ This star is visible even without a telescope. (망원경)
⑤ Mercury stays in liquid form at room temperature. (액체)

개념 가이드

'상거래'는 _____로 쓰고, e-commerce는 '_____'라는 뜻이다. 여기서 e-는 electronic의 축약어이다.

답 commerce, 전자 상거래

대표 예제 8

(A), (B), (C)의 각 네모에서 알맞은 말을 골라 쓰시오.

(A) We can receive but not transmit / transform.
(B) Many science / scientific discoveries were made during the twentieth century.
(C) A(n) atom / molecule of water consists of two atoms of hydrogen and one atom of oxygen.

(A) _____ (B) _____ (C) _____

개념 가이드

(A) 전송하다: _____ (B) 문맥상 discoveries를 수식하는 형용사가 와야 한다. (C) 원자들로 이루어진 것은 분자이므로 _____을 쓴다.

답 transmit, molecule

1 다음 중 〈보기〉와 짝지어진 단어의 관계가 다른 것은?

→ 보기 ←

destroy – construct

① save – rescue
② obey – violate
③ preserve – destroy
④ guilty – innocent
⑤ dependence – independence

2 다음 두 문장의 의미가 같도록 할 때 빈칸에 알맞은 것은?

Anyone would know that he is responsible for the data security of this company.
= It is _____ that he is responsible for the data security of this company.

① unclear   ② unknown
③ reusing   ④ surprising
⑤ evident

3 다음 중 밑줄 친 단어의 의미로 가장 알맞은 것은?

The water crisis is not a shortage of water, but the shortage of clean water due to misuse and overuse.

① 오염   ② 부족   ③ 파괴
④ 출처   ⑤ 감소

4 다음 그림을 참고하여 주어진 문장을 완성하시오.

I'm going on a holiday to a t_____ island for a month.

5 다음 밑줄 친 단어의 의미를 각각 우리말로 쓰시오.

Human activities are changing Earth's natural (A) greenhouse effect. Burning (B) fossil fuels like coal and oil puts more carbon dioxide into our (C) atmosphere. NASA has observed increases in the amount of carbon dioxide and some other (D) greenhouse gases in our atmosphere. Too much of these greenhouse gases can cause Earth's atmosphere to trap more and more heat. This causes Earth to warm up.

(A) _____
(B) _____
(C) _____
(D) _____

6 다음 영영풀이에 해당하는 단어로 알맞은 것은?

> 1. to work with someone for a particular purpose
> 2. to do what someone has asked or told you to do

① obey   ② commit

③ cooperate   ④ judge

⑤ sacrifice

7 다음 두 문장의 의미가 같도록 빈칸에 알맞은 말을 쓰시오.

> The managers' responsibility is to set goals that meet the organization's objectives.
> = Managers are _____ for setting goals that meet the organizational objectives.

➡ _____

8 다음 우리말과 같도록 할 때 빈칸에 알맞은 것은?

> 과학은 우리가 하나의 통합된 전체가 아니라는 것을 보여 주고 있다.
> ➡ Science is showing that we are not one single _____ whole.

① criminal   ② colonial

③ related   ④ civilized

⑤ unified

9 다음 안내문의 빈칸에 가장 알맞은 것은?

Protect Your Home with this _____ Camera!
• remote access
• easy installation
• infrared night view function

① security   ② private

③ public   ④ sacred

⑤ welfare

10 다음 글의 밑줄 친 우리말을 영어로 옮길 때, 빈칸에 알맞은 말을 쓰시오.

> Disagreements may happen when parents and children, employees and employers, and couples have differences in their opinions, values and goals. <u>많은 공통적인 상황들이 개인적인 관계에서 의견 불일치와 갈등의 원인이 될 수 있다.</u>

➡ Many common situations can become sources of _____s and _____s in personal _____s.

6일

1 다음 중 짝지어진 단어의 관계가 나머지와 다른 것은?

① diverse – various
② dedicate – devote
③ opponent – enemy
④ defeat – triumph
⑤ access – approach

2 다음 문장의 빈칸에 공통으로 알맞은 것은?

- Sometimes team loyalty does _____.
- It is a(n) _____ of time before they get married.

① matter　　　　② access
③ genre　　　　④ flight
⑤ compete

3 다음 문장의 빈칸에 알맞은 것은?

Make sure to check the expiration date of your _____ before traveling abroad.

① sightseeing　　② journey
③ adventure　　④ passport
⑤ souvenir

4 다음 그림에 알맞은 단어를 〈보기〉에서 각각 골라 쓰시오.

(A) 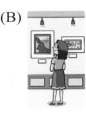　(B) 　(C)

_____　_____　_____

> ● 보기 ●
> athlete　　　　architect
> exhibition　　　sculpture

5 다음 중 밑줄 친 단어의 우리말 뜻이 바르게 연결되지 않은 것은?

Amos and I discovered that we enjoyed working together in the ①laboratory. Amos was the more logical and ②scientific thinker, focusing on ③theory. Amos frequently saw the point of my vague ideas much more clearly than I did. For fourteen years our ④cooperation was the focus of our lives, and the work we did together was the best ⑤discovery either of us ever made.

① 실험실　　　　② 과학적인
③ 이론　　　　④ 협력
⑤ 승리

6 다음 영영풀이에 해당하는 단어로 알맞은 것은?

> the time when you are not working and you can relax and do things that you enjoy

① victory   ② trend

③ amateur   ④ cheer

⑤ leisure

7 다음 괄호에 주어진 말을 빈칸에 알맞은 형태로 고쳐 쓰시오.

> How well we take _____ (criticize) can depend on our relationship with the messenger.

➡ _____

8 다음 우리말과 같도록 할 때 빈칸에 알맞은 것은?

> 모차르트는 하이든과 바흐와 같은 다른 위대한 작곡가들을 부지런히 공부했다.
> ➡ Mozart was diligent in studying other great _____ such as Haydn and Bach.

① poetry   ② architects

③ composers   ④ literature

⑤ composition

9 다음 표를 참고하여 아래 문장을 완성하시오.

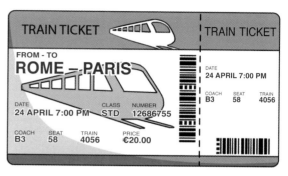

➡ The destination is _____.

10 다음 글을 쓴 목적으로 가장 알맞은 것은?

> Dear Ms. Anderson
>   I apologize that you did not receive the package as expected. We have been getting an enormous amount of orders, and it has been a terrible time to service them with equal priority every time. Therefore, the delay occurred. To reduce such instances, we have started employing new staff. I apologize again for the inconveniences it might have caused you.
>
>   *Sincerely,*
>   *Wendy Wood*

① 물품 환불 요구   ② 배송 지연 사과

③ 주문 취소 요청   ④ 직원 채용 공고

⑤ 배송지 변경 요청

창의·융합·서술·코딩 테스트 1회

A 다음 중 알맞은 단어를 골라 문장을 완성하시오.

1 The performance attracted a
☐ diverse
☐ diversity
audience.

2 Generally, we feel
☐ guilty
☐ innocent
when we break the rules.

3 He served the United States as a
☐ diplomat
☐ diplomacy
all his life.

B 다음 문장의 빈칸에 알맞은 말을 <보기>에서 골라 쓰시오.

1 A(n) _____ sometimes happens when an oil tanker has an accident at sea.

2 If there is a(n) _____, a large amount of water covers an area which is usually dry.

3 _____ is rain polluted by acid that has been released into the atmosphere from factories.

4 A(n) _____ is a long period of time during which no rain falls.

● 보기 ●

drought   flood   oil spill   acid rain

C 다음 그림을 참고하여 <보기>에서 알맞은 표현을 골라 문장을 완성하시오.

┌── • 보기 • ────┐
│ • uses his own cloth bag   • walks everywhere   │
│ • separates recyclable waste   • uses a reusable bottle   │
└──┘

1 Mina _____ to stop air pollution.

2 Jihee _____ instead of plastic bottles.

3 Jihun _____ to reduce waste.

4 Minwu _____ to protect the environment.

A 다음 우리말과 같은 뜻이 되도록 표현 카드 중 알맞은 것을 골라 문장을 완성하시오.

1  이번 연구는 유전공학 및 복제동물과 관련된 문제를 탐구하기 위한 것이다.

➡ This research is aimed to _____ _____ related to _____ _____ and _____ animals.

❶ cloned   ❷ issues   ❸ explore   ❺ genetic

❹ transformed   ❻ electric   ❼ engineering

2 전자 상거래에서 데이터 전송량이 증가하고 있으며, 보안 요구 사항도 증가하고 있다.

➡ The amount of data _____ in _____ is growing, and the _____ requirements are also increasing.

❶ secure   ❷ security   ❸ e-commerce

❹ commercial   ❺ transmit   ❻ decisions   ❼ transmission

B 다음 문장의 빈칸 (A)와 (B)에 들어갈 수 있는 말에 각각 체크하시오.

1 They announced that the (A)_____ would be (B)_____. They apologized for the late departure.

(A) ☐ flight   ☐ fright   (B) ☐ delayed   ☐ on time

2 Never underestimate your (A)_____ or you will face (B)_____.

(A) ☐ oppose   ☐ opponent   (B) ☐ defeat   ☐ victory

C 다음 그림을 묘사할 수 있도록 빈칸에 알맞은 단어 카드를 고르시오.

1

He is looking at the stars through a _____.

2

She is pouring the yellow _____ down the sink.

3

The boy is _____ the toys into two groups.

1	2	3
☐ telescope	☐ liquid	☐ devising
☐ microscope	☐ solid	☐ classifying

[1~2] 다음 밑줄 친 단어와 의미가 가장 유사한 것을 고르시오.

1

> The bigger the team, the more possibilities exist for <u>diversity</u>.

① variety ② degree ③ range
④ reduction ⑤ colony

2

> The fireman tried to <u>rescue</u> me from the fire.

① relate ② save ③ obey
④ relax ⑤ spill

3 다음 안내문의 목적으로 가장 알맞은 것은?

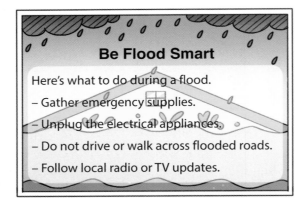

Be Flood Smart

Here's what to do during a flood.
– Gather emergency supplies.
– Unplug the electrical appliances.
– Do not drive or walk across flooded roads.
– Follow local radio or TV updates.

① 비상 용품 광고
② 자연 재해 종류 안내
③ 홍수 발생 원인 안내
④ 홍수 발생 현황 경고 안내
⑤ 홍수 발생 시 대처 요령 안내

4 다음 빈칸에 들어갈 말을 네모에서 골라 알맞은 형태로 고쳐 쓰시오.

> Studies have shown that air 〔pollute / reduce〕 is related to the worsening of asthma symptoms.
>
> *asthma: 천식

➡ _____

5 (A), (B), (C)의 각 네모에서 문맥에 알맞은 말로 짝지어진 것은?

> Perhaps the greatest threat that faces many species is the widespread destruction of habitat. Scientists tell us the best way to protect (A) 〔dangerous / endangered〕 species is to protect the special places where they live. Wildlife must have places to find food, shelter and raise their young. Logging, oil and gas drilling, over-grazing and development all result in habitat (B) 〔destruction / construction〕. Endangered species habitat should be (C) 〔preserved / reserved〕 and these impacts minimized.

	(A)	(B)	(C)
①	dangerous	destruction	preserved
②	dangerous	construction	preserved
③	endangered	destruction	reserved
④	endangered	construction	reserved
⑤	endangered	destruction	preserved

6 다음 두 문장의 의미가 같도록 할 때 빈칸에 알맞은 것은?

> The army made this area safe from harm or attack.
> = The army _____ this area from harm or attack.

① civilized   ② destroyed

③ devoted   ④ secured

⑤ constructed

7 다음 중 〈보기〉와 짝지어진 단어의 관계가 같은 것은?

> ━ 보기 ━
> unify – unification

① negotiate – negotiation

② free – freely

③ diplomat – diplomacy

④ faith – faithful

⑤ spirit – spiritual

8 다음 글의 문맥상 빈칸에 가장 알맞은 것은?

> If your goal is to _____ your environmental footprint, it's not enough to take the bus home from work tonight. You have to do so today, tomorrow, and into the future.

① reduce   ② reduction

③ pollute   ④ pollution

⑤ increase

9 다음 그림을 묘사하는 문장을 완성하시오. (단, 주어진 철자로 시작할 것)

➡ They are suffering from a severe d_____ and the water has dried up.

✎ 고1 6월 응용

10 다음 글의 밑줄 친 부분 중, 문맥상 낱말의 쓰임이 알맞지 <u>않은</u> 것은?

> For almost all things in life, there can be too much of a good thing. Even the best things in life aren't so great in ① excess. This concept has been discussed at least as far back as Aristotle. He argued that being virtuous means finding a ② balance. For example, people should be brave, but if someone is too brave they become ③ reckless. People should be trusting, but if someone is too trusting they are considered gullible. For each of these traits, it is best to ④ accept both deficiency and excess. Aristotle's suggestion is that virtue is the ⑤ midpoint.   *gullible: 잘 속아 넘어가는

[11~12] 다음 우리말과 같도록 빈칸에 알맞은 말을 쓰시오.

11

> 태양 에너지의 문제는 기술적인 것이 아니라 경제적인 것이다.
>
> = The problems of _____ _____ are not technical but economic.

➡ _____

12

> 언론의 자유는 사람들이 큰소리로 말할 수 있다고 느끼는 긍정적인 문화를 장려하는 것이다.
>
> = _____ of speech is about encouraging a positive culture where people feel they can speak up.

➡ _____

13 다음 중 밑줄 친 단어의 우리말 뜻이 잘못된 것은?

① I take an art class at the <u>community</u> center. (지역사회)

② <u>Sacrifice</u> often determines your level of success in life. (희생)

③ The two groups agreed to <u>cooperate</u> with each other. (협력하다)

④ Honesty is the foundation for trust in a <u>relationship</u>. (관계)

⑤ The jury were unconvinced that he was <u>innocent</u>. (유죄의)

14 그림을 참고하여 다음 대화의 빈칸에 알맞은 것은?

> W: Oh, no! I _____ milk on the carpet!
> M: Don't worry. I can help you. Do you have a towel and baking soda?
> W: Sure. I'll bring them right away.

① spilt   ② drank   ③ polluted
④ reduced   ⑤ reused

15 (A), (B), (C)의 각 네모에서 문맥에 알맞은 말로 짝지어진 것은?

> **How to Manage and Resolve Conflict in the Workplace**
>
> • Clarify what the (A) | source / resource | of conflict is.
> • Find a safe and (B) | public / private | place to talk.
> • Listen actively and let everyone have their say.
> • (C) | Agree / Disagree | on the best solution and determine the responsibilities each party has in the resolution.

   (A)   (B)   (C)

① source   – public   – Agree

② source   – private – Agree

③ source   – public   – Disagree

④ resource – private – Disagree

⑤ resource – public   – Agree

[16~17] 다음 영영풀이에 해당하는 단어를 고르시오.

16

> the process by which people, especially children, are made to behave in a way which is acceptable in their culture or society

① violation   ② socialization

③ evidence   ④ population

⑤ punishment

17

> a group of people who are responsible for governing a country

① unification   ② department

③ agreement   ④ government

⑤ organization

18 다음 우리말과 같도록 괄호에 주어진 단어를 바르게 배열하시오.

> 과학자들이 그들의 발견의 부정적인 영향에 대해 책임져야 한다는 것이 공정한가?
> = Is it fair that scientists should _____ _____ of their findings?

(impacts / responsible / be / the / for / negative)

➡ _____

19 다음 그림을 묘사하는 문장으로 가장 알맞은 것은?

① Acid rain has destroyed the buildings.

② The humid air caused health problems.

③ They are suffering from water shortage.

④ The glacier is threatening a small village.

⑤ The village has been damaged by the typhoon.

20 (A), (B), (C)의 각 네모에서 문맥에 알맞은 말로 짝지어진 것은?

> (A) He deserves to be punished for his crimes / criminals .
> (B) The disease affected a third of the country's popularity / population .
> (C) There is enough evident / evidence to reject the claim.

	(A)	(B)	(C)
①	crimes	popularity	evidence
②	crimes	population	evidence
③	crimes	popularity	evident
④	criminals	population	evident
⑤	criminals	popularity	evidence

1 다음 밑줄 친 단어와 의미가 가장 유사한 것은?

> The game was delayed because of the rain.

① postponed   ② composed

③ published   ④ sacrificed

⑤ negotiated

2 다음 우리말을 영어로 옮길 때 빈칸에 알맞은 것은?

> 작년 봄꽃 축제는 대부분 취소되었다.
> ➡ Most of the spring flower _____ last year were canceled.

① spirits   ② customs   ③ festivals

④ religions   ⑤ exhibitions

3 다음 그림을 묘사하는 문장으로 알맞은 것은?

① Sculptures are on display in the park.

② Some part of the architecture is damaged.

③ People are constructing a building in a city.

④ People are playing folk music on the street.

⑤ A religious ceremony is being held in the garden.

4 다음 주어진 단어를 빈칸에 알맞은 형태로 변형하여 쓰시오.

> We can avoid _____ by saying nothing, doing nothing, and being nothing.

criticize ➡ _____

5 고1 3월 응용

다음 글의 밑줄 친 부분 중, 문맥상 낱말의 쓰임이 알맞지 않은 것은?

> Researchers brought two groups of 11-year-old boys to a summer camp at Robbers Cave State Park in Oklahoma. The boys were strangers to one another. They were randomly ①divided into two groups and kept apart for about a week. They swam, camped, and hiked. Each group chose a name for itself, and the boys printed their group's name on their caps and T-shirts. Then the two groups met. A series of ②athletic competitions were set up between them. Soon, each group considered the other an ③enemy. Each group came to look down on the other. The boys started food ④fights and stole various items from members of the other group. Thus, under ⑤cooperative conditions, the boys quickly drew sharp group boundaries.

6 다음 두 문장의 의미가 같도록 할 때 빈칸에 알맞은 것은?

> No one will disagree with the new project.
> = No one will _____ the new project.

① publish   ② resort
③ approve   ④ oppose
⑤ accommodate

[7~8] 다음 문장의 빈칸에 알맞은 것을 고르시오.

7

> The control of breathing is a(n) _____ process that works without conscious intervention when asleep or awake.

① automatic   ② genetic
③ engineering   ④ electric
⑤ chemical

8

> The Internet has made it possible to _____ so much free information.

① access   ② excess
③ accessible   ④ reduce
⑤ compete

9 다음 그림을 참고하여 주어진 문장을 완성하시오.

> I will go s_____ in London and take a double-decker bus.

10 (A), (B), (C)의 각 네모에서 문맥에 알맞은 것을 골라 쓰시오.

> (A) He passed his destiny / destination while talking on the phone.
> (B) Make sure to check if there are any accommodate / accommodations available.
> (C) When you're a child, life is one big adventure / adventurous .

(A) _____
(B) _____
(C) _____

[11~12] 다음 우리말과 같도록 빈칸에 알맞은 말을 쓰시오.

11

대부분의 관광객들은 여행 경험을 보존하고 기억하기 위해 기념품을 가지고 집으로 돌아옵니다.

➡ Most tourists return home with _____s to preserve and remember travel experiences.

12

사람들은 그 아름다운 풍경 앞에서 아무 말도 하지 못했다.

➡ People couldn't say anything in front of the beautiful _____ .

13 다음 방송이 나올 장소로 가장 알맞은 곳은?

M: Ladies and gentlemen, this is Adams and I'm your chief flight attendant. Our flight time will be of 3 hours and 40 minutes. Please set your portable electronic devices to 'airplane' mode. Thank you.

① ② ③

④ ⑤

14 다음 밑줄 친 It이 가리키는 것으로 가장 알맞은 것은?

It has often been defined as a quality of experience or as free time, which is spent away from business, work, domestic chores, and education.

① trend　　② activity　　③ triumph
④ amateur　　⑤ leisure

✎고1 3월 응용

15 다음 글의 밑줄 친 부분 중, 문맥상 낱말의 쓰임이 알맞지 않은 것은?

A god called Moinee was ①defeated by a rival god called Dromerdeener in a terrible battle up in the stars. Moinee fell out of the stars down to Tasmania to die. Before he died, he wanted to give a last blessing to his final ②resting place, so he decided to create humans. But he was in such a hurry, knowing he was dying, that he ③forgot to give them knees; and he absentmindedly gave them big tails like kangaroos, which meant they couldn't sit down. Then he died. The people hated having kangaroo tails and no knees, and they cried out to the heavens for help. Dromerdeener heard their cry and came down to Tasmania to see what the ④matter was. He took pity on the people, gave them bendable knees and cut off their ⑤convenient kangaroo tails so they could all sit down at last.

[16~17] 다음 영영풀이에 해당하는 단어를 고르시오.

16

> the smallest amount of a chemical substance which can exist by itself

① liquid   ② clone
③ molecule   ④ element
⑤ electricity

17

> the activity of searching and finding out about something

① analysis   ② automation
③ classification   ④ exploration
⑤ transformation

18 다음 우리말과 같도록 괄호 안에 주어진 단어를 바르게 배열하여 쓰시오.

> 데이터는 아날로그 또는 디지털 형식으로 한 장치에서 다른 장치로 전송될 수 있다.
> = _____ from one device to another in analog or digital format.

(transmitted / can / be / data)

➡ _____

19 다음 그림을 참고하여 빈칸에 알맞은 말을 쓰시오.

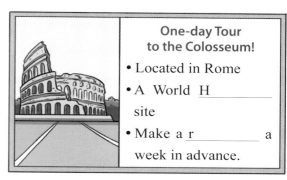

One-day Tour to the Colosseum!
• Located in Rome
• A World H_____ site
• Make a r_____ a week in advance.

✎ 고1 3월 응용

20 다음 글의 밑줄 친 부분 중, 문맥상 낱말의 쓰임이 알맞지 <u>않은</u> 것은?

> Many teenagers argue that they can study better with the TV or radio playing. Some professionals actually ①support their position. They argue that many teenagers can actually study ②productively under less-than-ideal conditions because they've been exposed repeatedly to "background noise" since early childhood. These educators argue that children have become used to the sounds of the TV, video games, and ③loud music. They also argue that insisting students turn off the TV or radio when doing homework will not necessarily ④improve their academic performance. This position is certainly not generally shared, however. Many teachers and learning experts are convinced by their own experiences that students who study in a noisy environment often learn ⑤efficiently.

💎 다음 워드 퍼즐을 모두 완성한 후, 비밀 단어를 찾아 쓰시오.

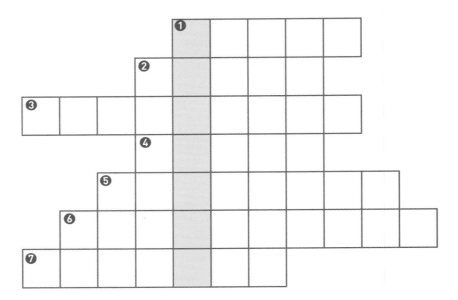

❶ A person who decides who will be the winner of a competition

❷ Relating to the sun

❸ The process of polluting water, air, or land, especially with poisonous chemicals

❹ An illegal action or activity

❺ Serious disagreement and argument about something

❻ Novels, plays, and poetry

❼ To consider it carefully or use statistical methods

The secret word is _____.

Memo

Memo

핵심어휘 01 자연

☐ fuel	연료; 연료를 공급하다
☐ solar	태양의, 태양열을 이용한
☐ **❶**	원천, 출처, 정보원 [혼동어] sauce 소스, 양념
☐ humid	습한, 눅눅한 *humidity 습도, 습기
☐ glacier	빙하
☐ tropical	**❷** , 열대 지방의

답 ❶ source ❷ 열대의

핵심어휘 02 자연재해

☐ **❶**	부족, 결핍(lack) ↔ excess 과잉
☐ damage	손상시키다; 피해, 손상
☐ destruction	파괴 ↔ construction 건설 ***❷** 파괴하다 ↔ construct 건설하다
☐ flood	홍수
☐ drought	가뭄
☐ acid	산; 산성의; (맛이) 신; 신랄한

답 ❶ shortage ❷ destroy

핵심어휘 03 환경오염

☐ pollution	오염, 공해 *pollute **❶**
☐ atmosphere	대기, 공기; 분위기
☐ greenhouse	온실
☐ spill	유출, 엎지름; 엎지르다, 흘리다 (spilled – spilt)
☐ ozone	오존
☐ **❷**	쓰레기, 폐기물

답 ❶ 오염시키다 ❷ waste

핵심어휘 04 환경 보존

☐ preserve	지키다, 보존하다 *preservation 보존, 보호
☐ rescue	구조, 구출; 구조하다 *rescuer **❶**
☐ endangered	멸종 위기의
☐ reuse	재사용하다 *reusable 재사용할 수 있는 cf. recycle 재활용하다
☐ **❷**	줄이다, 감소시키다 *reduction 감소, 삭감

답 ❶ 구조자 ❷ reduce

○ 다음 우리말에 맞도록 문장의 빈칸에 알맞은 말을 쓰시오.

1 산성비가 내릴 때 젖지 않도록 해라.
➡ Try not to get wet when the [ ] rain falls.

2 너의 기부는 홍수 피해자들을 돕는 데 사용되었다.
➡ Your donation was used to help [ ] victims.

3 지구 온난화는 생태계 파괴를 유발한다.
➡ Global warming causes the [ ] of the ecosystem.

📋 1 acid 2 flood 3 destruction

○ 다음 문장의 빈칸에 알맞은 말을 그림단어에서 골라 쓰시오.

1 Bengal tigers live in [ ] rainforests.

2 It's a more efficient way of using [ ].

3 We can utilize the sun as an energy [ ].

tropical   Source   fuel

📋 1 tropical 2 fuel 3 source

○ 다음 우리말의 빈칸에 알맞은 말을 쓰시오.

1 He dived in and rescued the drowning child.
➡ 그는 물속에 뛰어들어 물에 빠진 아이를 [ ].

2 We can reuse these plastic bags.
➡ 이 비닐 봉투는 [ ] 수 있다.

3 They executed a plan to reduce fuel consumption.
➡ 그들은 연료 소비를 [ ] 위한 계획을 실행했다.

📋 1 구했다 2 재사용할 3 줄이기

○ 다음 문장의 네모 안에서 알맞은 말을 고르시오.

1 Most of us are familiar with air, water, and land [pollute / pollution].

2 We learned that the [atmosphere / waste] of the earth absorbs part of the solar energy.

3 The [oil / ozone] layer is being destroyed.

📋 1 pollution 2 atmosphere 3 ozone

자르는선

핵심어휘 05 사회

☐ community	지역사회, 공동체
☐ relationship	❶ [　　　] (relation) *relate 관련시키다
☐ population	인구, 주민
☐ socialization	사회화 *socialize 사회화하다
☐ ❷ [　　　]	책임이 있는 *responsibility 책임
☐ cooperation	협력, 협조 *cooperate 협력하다, 협조하다

답 ❶ 관계 ❷ responsible

핵심어휘 06 법과 질서

☐ violate	어기다, 위반하다(break) ↔ obey 지키다, 준수하다
☐ crime	범죄, 범행 *criminal 범죄의; 범죄자
☐ innocent	❶ [　　　], 결백한 ↔ guilty 유죄의
☐ ❷ [　　　]	판사, 심판; 판단하다, 판정하다 *judg(e)ment 판단, 판결
☐ evidence	증언, 증거(proof) *evident 명백한
☐ punish	벌주다, 처벌하다 *punishment 처벌

답 ❶ 무죄의 ❷ judge

핵심어휘 07 정치

☐ govern	다스리다, 통치하다 *government 통치; ❶ [　　　]
☐ unify	통일하다, 통합하다(unite) ↔ divide 분리하다, 나누다 *unification 통일
☐ security	안전, 보안 *secure 안전한; 안전하게 하다
☐ welfare	복지, 복리(well-being)
☐ public	대중, 일반 사람들; 공공의, 대중의; 공적인 ↔ private 사적인
☐ freedom	자유(liberty) *❷ [　　　] 자유로운; 공짜의

답 ❶ 정부 ❷ free

핵심어휘 08 외교

☐ diplomat	외교관 *diplomacy 외교(술)
☐ negotiate	협상하다, 교섭하다 *negotiation ❶ [　　　], 교섭
☐ colony	식민지 *colonial 식민지의
☐ independence	독립 ↔ dependence 의존 *independent 독립한
☐ conflict	갈등, 대립, 충돌; 충돌하다, 대립하다
☐ agreement	동의, 합의, 협정 *❷ [　　　] 동의하다, 일치하다

답 ❶ 협상 ❷ agree

○ 다음 우리말에 맞도록 문장의 빈칸에 알맞은 말을 쓰시오.

1 CCTV는 사람들의 사생활을 침해할 수 있다.

➡ CCTV can [   ] people's privacy.

2 그 판사는 그 노부인이 유죄라고 말했다.

➡ The [   ] said that the old lady was guilty.

3 거짓말을 하면 내가 벌줄 거야.

➡ I'll [   ] you if you tell a lie.

답 1 violate 2 judge 3 punish

○ 다음 문장의 네모 안에서 알맞은 말을 고르시오.

1 I volunteered at the [community / population] center.

2 Their [relative / relationship] worsened day by day.

3 Eating together also helps [society / socialization].

답 1 community 2 relationship 3 socialization

○ 다음 우리말의 빈칸에 알맞은 말을 쓰시오.

1 He is a diplomat at the Korean Embassy in London.

➡ 그는 런던 주재 한국 대사관의 [   ]이다.

2 The two countries started to negotiate in public.

➡ 그 두 나라는 공개적인 [   ]을 시작했다.

3 He devoted his life to the independence movement.

➡ 그는 [   ] 운동에 그의 인생을 헌신했다.

답 1 외교관 2 협상 3 독립

○ 다음 문장의 빈칸에 알맞은 말을 그림 단어에서 골라 쓰시오. (단, 필요시 알맞은 형태로 고칠 것)

1 The King didn't know how to [   ].

2 I wrote a poem in praise of [   ].

3 The Berlin Wall fell and Germany was [   ] in 1990.

freedom

답 1 govern 2 freedom 3 unified

핵심어휘 09 문화

☐ civilization	❶ _____ (사회) *civilize 문명화하다, 개화하다 *civilized 문명적인, 개화한
☐ diverse	다양한(various) *diversity 다양성(variety)
☐ heritage	유산, 전통
☐ ❷ _____	관습, 풍습; 습관; (-s) 세관
☐ folk	민속의, 전통적인; 민속 음악, 민요
☐ festival	축제; 축제의

답 ❶ 문명 ❷ custom

핵심어휘 10 종교

☐ sacred	신성한, 성스러운(holy)
☐ ❶ _____	정신, 마음, 영혼 *spiritual 정신의, 정신적인
☐ faith	신앙심; 믿음, 신뢰 *❷ _____ 충실한, 신뢰할 만한
☐ sacrifice	희생하다; 희생
☐ religion	종교, 신조 *religious 종교의, 독실한
☐ dedicate	바치다, 헌신하다(devote) *dedication 헌납, 봉헌

답 ❶ spirit ❷ faithful

핵심어휘 11 예술

☐ visual	시각의, 눈에 보이는(visible) *vision 시각, 시력; 통찰력
☐ sculpture	조각, 조각품; 조각하다 *sculptor 조각가
☐ architecture	건축(술), 건축학, 건축 양식 *architect 건축가
☐ ❶ _____	화랑, 미술관
☐ exhibit	진열하다, 전시하다; 전시품 *exhibition 전시회, 전시
☐ composer	작곡가 *❷ _____ 작곡하다; 구성하다 *composition 작문, 작곡; 구성

답 ❶ gallery ❷ compose

핵심어휘 12 문학

☐ poetry	(집합적) 시 cf. poem (한 편의) 시
☐ publish	출판하다, 발행하다 *publication 출판
☐ ❶ _____	장르, 종류
☐ biography	전기 *autobiography 자서전
☐ criticism	비평, 평론 *criticize 비평하다, 비판하다
☐ literary	문학의 *literature ❷ _____

답 ❶ genre ❷ 문학

○ 다음 문장의 빈칸에 알맞은 말을 그림 단어에서 골라 쓰시오.

1 My grandmother is 80, but she remains young in ☐.

2 You sometimes have to ☐ the lesser for the greater.

3 Susan broke my ☐ in her.

답 **1** spirit **2** sacrifice **3** faith

○ 다음 우리말의 빈칸에 알맞은 말을 쓰시오.

1 The movie attracted a diverse audience.
➡ 그 영화는 ☐ 관객을 끌어 모았다.

2 The government decided to protect their cultural heritage.
➡ 정부는 그들의 문화 ☐ 을 보호하기로 했다.

3 We are organizing a large festival.
➡ 우리는 큰 ☐ 를 준비하고 있다.

답 **1** 다양한 **2** 유산 **3** 축제

○ 다음 우리말에 맞도록 문장의 빈칸에 알맞은 말을 쓰시오.

1 이 영화는 SF 장르의 기념비적인 작품이다.
➡ This movie is a monument in the SF ☐ .

2 전기는 다른 누군가가 쓴 한 사람의 일대기이다.
➡ A ☐ is an account of a person's life written by someone else.

3 그의 그림은 가혹한 비평을 받았다.
➡ His painting has received harsh ☐ .

답 **1** genre **2** biography **3** criticism

○ 다음 문장의 네모 안에서 알맞은 말을 고르시오.

1 The film has excellent visual / vision effects.

2 We can learn a lot from Greek architect / architecture .

3 Selina was determined to be a composer / composition .

답 **1** visual **2** architecture **3** composer

핵심어휘 13 여행

☐ reservation	**❶** _____ ; 보류 *reserve 예약하다 *reserved 예약한; 보류한; 소심한
☐ **❷** _____	휴양지; 의지; 의지하다
☐ delay	지연, 연기; 지연시키다, 미루다
☐ destination	목적지, 도착지
☐ sightseeing	관광
☐ souvenir	기념품, 선물

답 ❶ 예약 ❷ resort

핵심어휘 14 오락과 스포츠

☐ **❶** _____	경향, 추세; 유행(fashion)
☐ entertainment	연예, 오락물 *entertain 즐겁게 해 주다
☐ athlete	운동선수, 경기자 *athletic 운동선수의, 운동경기의
☐ professional	전문적인, 직업의; 전문직 종사자 ↔ amateur 비전문가, 아마추어
☐ leisure	여가, 틈 ***❷** _____ 느긋한; 느긋하게
☐ defeat	패배; (상대방을) 패배시키다, 이기다 *cf.* win (경쟁, 전쟁, 경기 등에서) 이기다

답 ❶ trend ❷ leisurely

핵심어휘 15 과학

☐ laboratory	실험실, 실습실(lab)
☐ theory	이론
☐ molecule	분자 *molecular 분자의 *cf.* atom **❶** _____ atomic 원자의
☐ liquid	액체; 액체의 *cf.* solid 고체; 고체의, 단단한
☐ matter	물질, 재료; 문제, 일; 중요하다 (count)
☐ mixture	혼합(물) ***❷** _____ 섞다, 혼합하다; 혼합

답 ❶ 원자 ❷ mix

핵심어휘 16 기술과 정보

☐ automatic	자동의; 자동 장치 *automation 자동화
☐ efficiency	효율(성), 능률 ***❶** _____ 효율적인
☐ genetic	유전의, 유전자의, 유전적인 *genetics 유전학
☐ engineering	공학
☐ transmit	전송하다 *transmission 전송
☐ **❷** _____	접근; 접근하다(approach) *accessible 이용 가능한, 접근하기 쉬운

답 ❶ efficient ❷ access

자르는 선 ✂

14 핵심 정리 예제

o 다음 문장의 빈칸에 알맞은 말을 그림 단어에서 골라 쓰시오.

1 The ⬚ is in the prime of life.

2 I heard that you were a ⬚ soccer player.

3 There is a ⬚ toward shorter working hours.

athlete   trend   professional

답 1 athlete 2 professional 3 trend

---

13 핵심 정리 예제

o 다음 우리말의 빈칸에 알맞은 말을 쓰시오.

1 Taormina is well-known as a summer resort.
➡ Taormina는 ⬚로 유명하다.

2 I went sightseeing around the Eiffel Tower today.
➡ 나는 오늘 에펠 탑으로 ⬚을 갔다.

3 The souvenir shop was crowded with Chinese tourists.
➡ 기념품 가게는 중국인 관광객들로 ⬚.

답 1 피서지 2 관광 3 붐볐다

---

16 핵심 정리 예제

o 다음 우리말에 맞도록 문장의 빈칸에 알맞은 말을 쓰시오.

1 사무 자동화는 효율성을 증대시킨다.
➡ Office automation increases ⬚.

2 난 메시지를 우주로 보냈다.
➡ I ⬚ a message up into space.

3 누구나 그 책에 온라인으로 접근할 수 있다.
➡ Anyone can ⬚ the book online.

답 1 efficiency 2 transmitted 3 access

---

15 핵심 정리 예제

o 다음 문장의 네모 안에서 알맞은 말을 고르시오.

1 She was in the loan / laboratory for a chemical experiment.

2 The atoms bond together to form a molecule / molecular .

3 Water is a liquid / solid , and ice is a solid.

답 1 laboratory 2 molecule 3 liquid

7일 끝

시험 대비 어휘 기초

7일 끝으로 끝내자!

고등 영어 어휘

정답과 해설 •
어휘 모아 보기 •

천재교육

7

1일 Quiz⁺₊ 7쪽

[해석] 1. 유미와 준수는 의식주가 모두 다르다.
2. 유미와 준수는 각각 자신들의 점심을 준비한다.

1일 기초 확인 문제 9쪽

A 1. 옷, 의류 2. 재료, 성분; 요소 3. ~ 맛이 나는
4. 채식주의자(의) 5. 줄무늬의
6. 무늬가 없는; 수수한 7. 식욕 8. 와이셔츠
9. suit 10. recipe 11. pajama 12. plain
13. appetite 14. digest 15. garment 16. flavored

B 1. digest 2. striped 3. appetite

C 1. dress shirt 2. flavored
3. plain 4. pajamas

C 1. 우리나라에서 쓰이는 '와이셔츠'는 영어로 dress shirt로 표현한다.
2. flavor은 명사로 '맛,' 동사로 '맛을 내다'의 뜻이다. flavored는 형용사로 '~ 맛이 나는'의 뜻이고 복합어로 쓰인다.
3. plain(무늬가 없는; 수수한)은 형용사이고, plainly(수수하게)는 부사이다. pants를 수식하므로 형용사인 plain을 쓴다.
4. pajama는 상의와 바지로 이루어져 항상 복수로 사용한다.

1일 기초 확인 문제 11쪽

A 1. 닦다, 광을 내다 2. 거주하다, 살다 3. 배달
4. 편리한 5. 도시의 6. 편의, 시설
7. 쓸다, 청소하다 8. 대저택
9. prepare 10. location 11. neat 12. facility

13. delivery 14. convenience 15. residence 16. polish

B 1. polish 2. Urban 3. sweep

C 1. facilities 2. delivery
3. reside 4. Mix

C 1. 이 학교의 시설: the facilities in this school
2. 무료의: free
자택 배달 서비스: home delivery service
3. ~에서 태어나다: be born in

1일 적중 예상 베스트 12~13쪽

1 ④ 2 ④
3 ingredient
4 prepare
5 ② 6 ② 7 ①
8 (A) Garments (B) transported

1 ④는 '단정한, 깔끔한'의 뜻이므로 어색하다.
① 쉬운 ② 유용한 ③ 용이한 ④ 단정한 ⑤ 편리한
[해석] 고대 로마인들은 납이 쉽다는/유용하다는/용이하다는/편리하다는 것을 알았지만, 그것은 고대 로마인들의 건강을 위협했다.

2 〈보기〉는 '동사 – 형용사'의 관계로 '소화하다 – 소화의'의 뜻이다. suit는 명사로는 '정장, 한 벌'의 뜻이 있고, 동사로는 '어울리다, 적합하다'의 뜻이 있다.
① 용이하게 하다 – 편의, 시설(동사 – 명사)
② 쓸다, 청소하다 – 청소부, 청소기(동사 – 명사)
③ 무늬가 없는, 수수한 – 수수하게(형용사 – 부사)
④ 어울리다 – 적합한(동사 – 형용사)
⑤ 섞다 – 혼합물(동사 – 명사)

3 ingredient: 재료
component: 부품, 구성 성분
[해석] 코코넛은 많은 카레 요리의 기본 재료이다.

4 prepare는 '준비하다, 대비하다'는 뜻의 동사이다. '준비'라는 뜻의 명사형은 preparation을 쓴다.

해석 (1) 당신은 식사를 준비하는 데에 더 효율적인 방법을 쓸 수 있다.
(2) 당신은 새로운 현실에 당신의 비전을 맞출 수 있도록 준비되어야 한다.
(3) 나는 대비할 시간이 없었다.

5 ① hand: 손
② vegetarian: 채식주의자; 채식주의자의
③ low-sugar: 당분이 적은
④ liquid-only: 물만 먹는
⑤ protein-shake: 단백질 셰이크
해석 건강한 채식은 주로 과일, 채소, 전곡(곡물류), 견과류, 씨앗을 먹는 것이다.

6 ② '시청이 현재의 태도(→ 위치)로 두 달 전에 이동했다.'는 어색하고 '현재 위치로 이사했다'가 자연스러우므로 present attitude를 present location으로 써야 한다.
해석 ① 학생들은 바닥의 먼지를 쓸고 있다.
② 시청은 두 달 전에 현재 태도(→ 위치)로 이전해 왔다.
③ 그 고객은 배송이 늦은 것에 대해 불평했다.
④ 나는 요리책에서 좋은 후식 요리법을 찾았다.
⑤ 공공시설의 개선이 다음 주 월요일에 시작될 예정이다.

7 plain은 '무늬가 없는, 수수한'의 뜻이다.

8 (A) fashion industry에서 가공을 하는 것으로 보아 Garments (의류)가 알맞다.
(B) 전 세계로 보내지는 것이므로 transported가 알맞다.
해석 의류는 유해한 화학물질을 이용해 제작된 후 전 세계로 운반되는데, 이것은 석유 산업 다음으로 패션 산업을 세계에서 두 번째로 큰 오염원으로 만든다.
(A) garment: 의류
     paper: 종이
(B) presented: 주었다, 증정했다
     transported: 운반했다

2일 Quiz⁺ 15쪽

해석 1. 그녀는 날씬한 몸매를 유지하고 있다.
2. 우리 어머니가 편찮으셨을 때 그녀가 많이 도와주었다.

2일 기초 확인 문제 17쪽

A 1. 곱슬곱슬한 2. 근육 3. 장기; 오르간
4. 매력적인, 멋진 5. 신경; 긴장
6. 주름살; 주름이 생기다
7. 체중, 무게 8. 금발의; 금발을 한 사람
9. bone 10. nerve 11. slim 12. bald
13. muscle 14. organ 15. weight 16. blood

B 1. nerve 2. attractive 3. wrinkle

C 1. blood 2. bald 3. organs 4. slim

C 1. blood는 명사이고 bleed는 동사이다. '헌혈하다'는 명사 blood를 써서 donate blood로 표현한다.
2. bold는 '용감한, 대담한'의 뜻이고 bald는 '대머리의'의 뜻이므로 혼동하지 않도록 유의한다.
3. organ은 '장기'라는 뜻의 명사이고, organic은 '장기의; 유기농의'라는 뜻의 형용사이다.
4. slim(날씬한)과 fat(살찐)은 반의어이다. 키가 커 보인다고 했으므로 slim이 자연스럽다.

2일 기초 확인 문제 19쪽

A 1. 건강한, 건강에 좋은 2. 재채기를 하다; 재채기
3. 치료하다; 다루다; 대접하다 4. 병, 아픔, 질환
5. 부상당하다 6. 아픈, 고통스러운
7. 아프다; 아픔 8. 정신의, 마음의
9. suffer 10. response 11. pressure 12. sniff
13. unhealthy 14. cough 15. treatment
16. injury

B 1. response 2. suffer 3. sniff

C 1. healthy 2. injured 3. mental 4. pressure

C 1. healthy는 접두사 un-을 써서 반의어를 만든다. '건강에 좋은'은 healthy를 쓴다.
healthy: 건강한, 건강에 좋은
unhealthy: 건강하지 못한, 유해한
2. 테니스 경기에서 팔꿈치를 '다쳤다'가 자연스러우므로 injured를 쓴다.

cure: 치료하다

injure: 부상당하다

3. 생각과 경험을 보여 주는 것이므로 mental이 알맞다.

mental: 정신의, 마음의

physical: 육체의, 물질적인

4. '혈압'은 blood pressure이다.

press: 누르다, 압박하다

pressure: 압력, 압박, 스트레스

2일 적중 예상 베스트 20~21쪽

1 ③ 2 ⑤

3 response

4 treat

5 ② 6 ② 7 ④

8 (A) sniff (B) suffered (C) muscles

1 majority: 대부분의

be due to: ~ 때문이다

① bone: 뼈, 뼈대; 골격

② blood: 피, 혈액; 피를 흘리다

③ wrinkle: 주름, 주름살

④ pain: 고통; 수고

⑤ illness: 병, 아픔, 질환

해석 대부분의 주름은 햇빛 때문에 생긴다.

2 〈보기〉는 '명사 – 형용사'의 관계로 '건강 – 건강한, 건강에 좋은'의 뜻이다. ⑤는 '동사 – 명사'의 관계이므로 〈보기〉와 다르다.

① 고통 – 고통스러운(명사 – 형용사)

② 부상 – 부상당한(명사 – 형용사)

③ 피, 혈액 – 피의, 피투성이의(명사 – 형용사)

④ 병, 아픔 – 아픈, 병든(명사 – 형용사)

⑤ 치료하다 – 치료(동사 – 명사)

3 response: 반응; 응답

change: 변화

해석 소방관들의 대응 시간이 빨라지면 화재로 인한 손실을 최소화할 것이다.

4 treat는 다의어로 '1. 치료하다 2. 다루다 3. 대접하다'의 뜻이 있고, 명사형은 treatment로 '치료, 취급, 대접'의 뜻이다.

해석 (A) 부상자들이 의료 치료를 받았다.

(B) 그녀는 다른 사람들을 대하는 태도가 한결같다.

(C) 불안 장애를 치료하는 데 많은 종류의 약들이 사용된다.

5 매료시키다, 마음을 끌다: attract

① enjoy: 즐기다

② attract: 매료시키다

③ treat: 대접하다

④ pull: 끌어당기다

⑤ attempt: 시도하다

6 ②의 bald는 '대머리의'라는 뜻이고, 문맥상 '사자와 싸울 만큼 용감하다'라는 뜻이므로 '용감한, 대담한'이라는 뜻의 bold를 쓴다. bald와 bold는 혼동하기 쉬운 어휘이므로 유의한다.

해석 ① 자기소개를 끝낸 후 그녀는 긴장을 가라앉히려고 애썼다.

② 그 쥐는 사자와 싸울 만큼 충분히 대머리이다(→ 용감하다).

③ 간은 체내의 장기이다.

④ 나는 고객들의 관심을 끌기 위해 네 개의 포스터를 게시했다.

⑤ 나는 곱슬머리를 보고 그를 알아보았다.

7 weight: 체중, 무게

height: 키

해석 ① 그 개는 뼈다귀를 정원에 묻었다.

② 이 땅은 굵고 건강에 좋은 토마토가 열릴 만큼 비옥하다.

③ Smurfette은 아름답고 긴 금발을 하고 있다.

④ 얼음이 너무 얇아 네 체중을 지탱하지 못한다.

⑤ 그녀는 끔찍한 두통에 시달려 왔다.

8 (A) sniff: 킁킁거리다

sneeze: 재채기를 하다

(B) cure: 치료하다

suffer: (고통을) 겪다

(C) muscle: 근육

muscular: 근육의

해석 (A) 개들은 무엇이든지 킁킁거리고 냄새를 맡는다.

(B) 나는 수면 부족에 시달리고 있다.

(C) 우리의 근육은 전체의 약 4분의 1 정도로 훨씬 더 많은 에너지를 사용하기도 하지만, 우리는 많은 근육을 가지고 있기도 하다.

3일 Quiz+ 23쪽

해석 1. 모든 사람은 적절한 교육을 받을 자격이 있다.

2. 그 시는 사랑이라는 친숙한 주제를 다루고 있다.

A 1. 실험; 실험을 하다　2. 규율; 훈육하다

3. 용기를 북돋우다　4. 성취, 업적

5. 친척; 관련된　6. 가정용의; 국내의

7. 입양하다; 채택하다　8. 출석, 참석

9. absence　10. education　11. discipline

12. domestic　13. graduate　14. adopt

15. degree　16. resemble

B 1. resemble　2. relative　3. education

C 1. degree　2. discipline　3. adopt　4. achievement

C 1. degree: 학위; (온도계의) 도; 정도
grade: 등급, 점수

2. teaching: 가르치는 것
discipline: 규율, 훈육

3. adopt와 adapt는 혼동하기 쉬운 어휘이므로 유의한다.
adopt: 입양하다; 채택하다
adapt: 적응하다; 각색하다

4. achieve: 성취하다, 이루다
achievement: 성취, 업적

A 1. 축하하다, 기념하다　2. 직업; 점령

3. 승진; 촉진; 홍보　4. 경력; 직업

5. 지원하다; 적용하다; 바르다　6. 비난하다; 비난

7. 거짓말쟁이　8. 무시하다; 무시

9. lie　10. forgive　11. praise　12. neglect

13. familiar　14. promote　15. application　16. career

B 1. blame　2. apply　3. familiar

C 1. neglect　2. expert　3. Forgive　4. engage

C 1. risk: 위험을 감수하다
neglect: 무시하다, 소홀히 하다

2. expert: 전문가
expertise: 전문적인 지식

3. forgive: 용서하다

forget: 잊다

4. finish: 끝내다, 마치다
engage: 종사하다, 참여하다

1 ①　　**2** ⑤

3 career

4 apply

5 ⑤　　**6** ①　　**7** ④

8 (A) Domestic　(B) degree　(C) adopted

1 an occupation: 직업
① career: 이력, 경력; 직업
② mission: 임무
③ opinion: 의견
④ negotiation: 협상
⑤ promotion: 승진; 촉진; 홍보
해석 그는 변호사로서 직업을 구했다.

2 〈보기〉는 '반의어' 관계이다. ⑤는 '동사 – 명사'의 관계로 '용서하다 – 용서'의 뜻이다.
① blame 비난하다 – praise 칭찬하다(동사 반의어)
② expert 전문가 – amateur 아마추어(명사 반의어)
③ attendance 참석 – absence 결석(명사 반의어)
④ encourage 격려하다 – discourage 단념시키다
　(동사 반의어)
⑤ forgive 용서하다 – forgiveness 용서(동사 – 명사)

3 carrier: 수송, 운반자(carry의 명사형)
career: 경력; 직업
해석 불행하게도, 자동차 사고 부상으로 그녀는 겨우 18개월 후에 일을 그만두어야 했다.

4 apply는 다의어로 여러 가지의 뜻이 있다.
1. 지원하다, 신청하다
2. 적용하다
3. (약을) 바르다
해석 (A) 그 이론이 보편적으로 적용되지는 않는다.
(B) 몇몇 후보자들이 그 일자리에 지원할 것이다.
(C) 외출할 때는 자외선 차단제 바르는 것을 잊지 마라.

5 질병의 치료법을 찾기 위해서는 다양한 실험(experiment)을 하는 것이 자연스럽다.
① test: 테스트, 시험
② application: 신청, 지원
③ examination: 시험
④ promotion: 홍보; 승진
⑤ experiment: 실험

6 relate: 관련시키다
relative: 친척
해석 ① 그녀는 웨일스에 있는 친척들을 방문하러 갔다.
② 그 학교는 훈육 수준이 높다는 평판이 있다.
③ 그들은 그 일을 축하하기 위해 축제를 열었다.
④ 그것은 역사상 가장 위대한 업적 중 하나로 여겨진다.
⑤ 호기심을 갖고 완전히 몰두한 그의 마음속에 무언가 신비로운 일이 일어났다.

7 ④ promotion은 다의어로 여러 가지의 뜻이 있다
1. 승진 2. 촉진 3. 홍보
해석 ① 그의 딸들은 서로 똑 닮았다.
② 나는 졸업 후에 소프트웨어 개발자로 교육을 받았다.
③ 작은 것을 소홀히 하면 큰 것을 잃는다.
④ 그녀가 영업 부장으로 승진한 것은 모두를 깜짝 놀라게 했다.
⑤ 나는 그녀가 거짓말쟁이라는 가능성을 배제할 수 없다.

8 (A) domestic: 가정의, 국내의
foreign: 외국의
(B) master: 석사; 주인; 거장
degree: 학위
(C) adapt: 적응하다
adopt: 입양하다
해석 (A) 가정폭력은 금기시 되는 주제가 되어서는 안 된다.
(B) Jemison은 1981년 Cornell 의과 대학에서 의학 학위를 받았다.
(C) 그들은 내 친부모가 아니다. 나는 입양되었다.

Quiz⁺ 　　　　　31쪽

해석 **1** 나는 외향적인 사람이 아니어서 새로운 친구를 만드는 것이 어려웠다.
2 그 기념품 가게는 많은 중국인 관광객들로 붐볐다.

4일 기초 확인 문제 　　　　　33쪽

A 1. 소극적인, 수동적인 2. 성급함, 조바심
3. 긴급한, 절박한 4. 비꼬는, 빈정대는
5. 겁이 많은, 소심한 6. 비판적인; 중대한
7. 낙관적인 8. 외향적인, 사교적인
9. selfish 10. sarcastic 11. shy 12. irony
13. polite 14. serious 15. active 16. indifferent

B 1. indifferent 2. outgoing 3. optimistic

C 1. critical 2. impatience
3. irony 4. polite

C 1. indifferent: 무관심한
critical: 비판적인; 중대한
2. patience: 인내심
impatience: 성급함
3. irony: 풍자, 비꼼; 반어법
ironic: 역설적인, 반어적인
4. polite: 공손한, 예의 바른
rude: 무례한

4일 기초 확인 문제 　　　　　35쪽

A 1. 절망적인, 절박한 2. 역동적인 3. 슬픈
4. 감상적인, 감정적인 5. 만족한 6. 우울한
7. 혼잡한, 붐비는 8. 무서운, 두려운
9. exotic 10. lively 11. anxious 12. monotonous
13. lonely 14. crowd
15. desperate 16. sorrow

B 1. dynamic 2. exotic 3. anxious

C 1. desperate 2. content
3. monotonous 4. sorrowful

C 1. desperate: 절망적인, 절박한
dreadful: 무서운, 두려운
2. anxious: 걱정하는; 갈망하는
content: 만족한

3. monotonous: 단조로운
   gloomy: 우울한
4. sorrowful: 슬픈
   sentimental: 감상적인, 감정적인

4일 적중 예상 베스트 36~37쪽

1 ② **2** ③
3 critical
4 (A) impatient, 참을성이 없는
   (B) patient, 참을성이 있는
   (C) patient, 환자
5 ② **6** ⑤ **7** ①
8 (A) urgent (B) exotic (C) lonely

1 content는 '만족한'이라는 뜻으로 ②의 satisfied와 같은 뜻이다.
① timid: 소심한
② satisfied: 만족한
③ lively: 활기찬, 힘찬
④ lonely: 외로운, 고독한
⑤ passive: 소극적인, 수동적인
해석 클래식 음악은 개들을 만족스럽고 편안하게 만들어 주었다.

2 〈보기〉와 나머지 모두는 '반의어' 관계이다. ③은 의미상 서로 관계가 없다.
〈보기〉 polite 예의 바른 – rude 무례한
① crowded 붐비는 – quiet 조용한, 한적한
② dynamic 역동적인 – static 정적인
③ dreadful 무서운, 두려운 – sorrowful 슬픈
④ optimistic 낙관적인 – pessimistic 비관적인
⑤ patience 인내심 – impatience 성급함

3 feedback을 수식하는 형용사 critical이 와야 한다.
accept critical feedback: 비판적인 피드백을 받아들이다
criticize: 비판하다
critical: 비판적인
해석 이런 경영자들은 처음에 직원들을 유능하거나 무능하다고 판단해 버리고는 그걸로 끝이다. 게다가 그들이 직원으로부터 비판적인 피드백을 구하거나 받아들일 가능성은 훨씬 더 적다.

4 patient는 '참을성 있는'의 형용사와 '환자'라는 명사로 쓰인다. patient(참을성 있는)와 impatient(참을성 없는)는 '반의어' 관계이다.
해석 (A) 참을성이 없는 아이들을 다루는 것은 쉽지 않다.
(B) 낚시는 나에게 인내를 가르쳐 준다.
(C) 약이 부족해서 환자들을 치료하기가 어려웠다.

5 cheerful dance와 어울리는 음악이므로 '활기찬 음악'인 lively music이 알맞다.
① exotic: 이국적인, 색다른, 외국의
② lively: 활기찬, 힘찬
③ sorrowful: 슬픈
④ gloomy: 우울한
⑤ monotonous: 단조로운

6 아무것도 얻을 수 없는 것은 적극적인(active) 태도 때문이 아니라 수동적인(passive) 태도 때문인 것이 자연스럽다.
해석 ① 그녀의 무관심한 태도가 나를 화나게 만든다.
② 그는 비아냥거리는 투로 대답했다.
③ 비보이 춤은 활동적이고 역동적이다.
④ Henry는 취업 면접에 대해 걱정하고 있다.
⑤ 그런 적극적인(→ 수동적인) 자세로는 아무것도 얻을 수 없다.

7 timid는 '소심한'이라는 의미이고 '활기찬'은 lively를 쓴다.
해석 ① 그 소심한 아이는 고양이를 두려워했다.
② 그는 매우 이기적이었고 성질이 아주 까다로워 아무도 그의 친구가 되기를 원하지 않았다.
③ 시간이 흐를수록 나는 점점 감상적이 되어 간다.
④ 무서운 폭풍이 아이들을 잠 못 들게 했다.
⑤ 그는 아주 엄격하고 진지해 보인다.

8 (A) urgent: 긴급한, 절박한
      urgency: 긴급
(B) normal: 평범한, 정상적인
      exotic: 이국적인, 색다른
(C) crowded: 붐비는
      lonely: 외로운, 고독한
해석 (A) 대부분의 사람들은 보통 절박할 때 기도를 합니다.
(B) 오늘은 샤크슈카라는 이국적인 음식을 먹어 보자.
(C) 외로운 사람은 다른 사람을 도와주는 일로부터 혜택을 받을지도 모른다.

해석 1. 원하시면 신용카드로 지불하셔도 됩니다.

2. 이 예금에는 연 3%의 이자가 붙는다.

5 일 기초 확인 문제   41쪽

A 1. 교환(하다) 2. 상업, 무역 3. 구입; 구매(하다)

4. 수지, 잔고; 균형 5. 화폐, 통화; 유통

6. 소비자 7. 공급(하다) 8. 신용, 신용 거래

9. commercial 10. credible 11. import

12. luxury 13. refund 14. exchange

15. income 16. expenditure

B 1. income 2. exchange 3. purchase

C 1. credit 2. consumers 3. supply 4. import

C 1. currency: 화폐, 통화

credit: 신용, 신용 거래

2. consumers: 소비자들

producers: 생산자들

3. supply: 공급하다

demand: 요구하다

4. import: 수입

export: 수출

5 일 기초 확인 문제   43쪽

A 1. 재정의, 금융상의 2. 계약(서); 계약하다

3. 광고하다 4. 대출, 융자; 빌려 주다

5. 제조(하다), 생산(하다) 6. 계좌; 설명; 이유

7. 고용, 근로 8. 이익; 이익을 얻다

9. trade 10. contact 11. interest

12. loan 13. finance 14. cost

15. invest 16. manufacturer

B 1. trade 2. invest 3. advertise

C 1. profit 2. employment 3. interest 4. cost

C 1. profit: 이익

loss: 손실

2. employ: 고용하다

employment: 고용

3. invest: 투자

interest: 이자; 관심

4. cost: 비용, 경비

coast: 연안

5 일 적중 예상 베스트   44~45쪽

1 ①   **2** ⑤

3 a refund

4 account

5 ④   **6** ②   **7** ②

8 (A) employment (B) luxurious

1 purchase: 구매하다(buy)

reply: 응답, 회신

inquiry: 문의, 조사

shipment status: 배송 상태

해석 이것은 당신이 구매한 책상의 배송 상태 문의에 대한 회신입니다.

2 [보기] 'profit(이익) − loss(손실)'는 '반의어' 관계이다. ⑤는 '명사−형용사' 관계이다.

① supply 공급 − demand 수요

② import 수입 − export 수출

③ income 수입, 소득 − expenditure 지출

④ consumer 소비자 − producer 생산자

⑤ commerce 상업, 무역 − commercial 상업적인

3 get an exchange: 교환하다

get a refund: 환불하다

4 account는 다의어로 명사와 동사로 쓰인다.

명 1. 계좌 2. 설명 3. 이유

동 설명하다

해석 (A) 내가 그 사건에 대해 설명할게.

(B) 제 계좌에 돈을 좀 입금하고 싶습니다.

(C) 그 두 번째 면담에서 학생들 중 25퍼센트는 그들이 어디에 있었는지에 대해 완전히 다르게 설명했다.

5 ① luxurious: 사치스러운

② profitable: 이익이 되는

③ credible: 믿을 만한

④ financial: 재정의, 금융상의

⑤ commercial: 상업적인; 광고 방송

6 ② 주문을 받은 것을 바탕으로 하므로 '소비한다(consumes)' 가 아니라 '생산한다(produces)'가 문맥상 자연스럽다.

consume: 소비하다(consumer: 소비자)

produce: 생산하다(producer: 생산자)

해석 ① 음악 사업은 예술과 상업을 결합시킨다.

② 그 회사는 주로 주문을 받은 것을 바탕으로 소비를(→ 생산)을 한다.

③ 내 학자금 대출을 갚는 데 5년이 걸렸다.

④ 만약 네가 교육에 시간을 투자한다면, 좋은 결과가 있을 것이다.

⑤ 그 상점은 한 달에 500만원이 넘는 수익을 낸다.

7 contract는 '계약'이라는 뜻이고 contact는 '접촉'이라는 뜻으로 혼동하기 쉬우므로 유의한다.

해석 ① 작년에는 수지가 흑자였다.

② 지나친 사치는 가난을 부른다.

③ 그녀는 제품을 광고하기 위해 텔레비전에 출연했다.

④ 우리는 그 계약을 따 내는 데 성공할 것이다.

⑤ 호텔에서 당신의 화폐를 달러로 환전할 수 있다.

8 (A) employ: 고용하다

employment: 고용

(B) luxury: 사치, 사치품

luxurious: 사치스러운, 호화로운

해석 (A) 학생들은 우리 지역에 있는 청년들을 위한 고용 기회를 만들어 내기 위한 다양한 의견을 제안할 것입니다.

(B) 이 방의 인테리어가 너무 사치스럽다.

6일 누구나 100점 테스트 1회   46~47쪽

1 ④   **2** ③   **3** ①

4 is wearing, striped, plain

5 high blood pressure can be easily detected

6 ③

7 suit

8 ②   **9** ④   **10** ②

1 〈보기〉의 단어는 '유의어' 관계이므로 정답은 ④이다.

〈보기〉 neat – tidy 깔끔한

① urban 도시의 – suburb 교외의

② recipe 조리법 – ingredient 재료

③ mix 혼합하다 – suit 어울리다

④ clothing – garment 의류

⑤ convenient 편리한 – inconvenient 불편한

2 문맥상 신선한 우유는 소화시키기 어렵지만 유제품은 괜찮다는 의미이므로 ③의 digesting이 알맞다.

dairy product: 유제품

such as ~: ~와 같은

① reuse: 재사용하다

② produce: 생산하다

③ digest: 소화하다

④ wrap: 포장하다

⑤ apply: 적용하다, 지원하다

해석 어떤 사람들은 신선한 우유를 소화시키는 데 어려움을 겪지만 치즈나 요구르트와 같은 특정 유제품을 먹을 수 있다.

3 stranger: 이방인, 낯선 사람

with all one's heart: 진심을 다해서

① deal with: 다루다, 대하다(treat)

② get angry with: ~로 화가 나다

③ take in charge of: ~을 맡다, 진두지휘하다

④ take interested in: 흥미를 가지다

⑤ keep away from: ~을 멀리하다

해석 그 원주민들은 이방인들을 진심으로 대한다.

4 줄무늬 티셔츠: striped T-shirt

무늬 없는 바지: plain pants

해석 그 소녀는 줄무늬 티셔츠와 무늬 없는 바지를 입고 있다.

5 고혈압: high blood pressure

쉽게 발견되다: be easily detected

해석 당신은 아무런 증상 없이 몇 년 동안 고혈압을 가질 수 있다. 다행히 고혈압은 쉽게 발견될 수 있다. 그리고 일단 당신이 고혈압을 앓고 있다는 것을 알게 되면, 고혈압을 조절하기 위해 주치의와 노력할 수 있다.

6 organ: 1. 장기 2. 오르간

① heart: 심장

② blood: 피, 혈액

④ muscle: 근육

⑤ nerve: 신경

해석 1. 특별한 목적이나 기능을 가진 신체 부위

2. 피아노처럼 키와 페달이 달린 큰 악기

7 suit: 1. 정장 2. 어울리다

해석 • 넥타이 없이 정장을 입어도 되나요?

• 그 빨간 드레스가 너에게 잘 어울리는구나!

8 위치: location

① facility: 편의, 시설

③ ingredient: 재료, 성분

④ career: 경력, 직업

⑤ degree: 학위; (온도의) 도; 정도

9 sweep the floor: 바닥을 쓸다

① polish: 광을 내다

② tidy: 깔끔한(neat)

③ wipe: (물기, 오물을) 닦아내다

④ sweep: 쓸다, 청소하다

⑤ prepare: 준비하다

해석 바닥을 쓸 필요가 있겠어. 쓰레기가 많아.

10 코나 목의 먼지를 제거하기 위해 갑자기 발생하며, 건강상의 문제와 관련이 없는 증상은 재채기(sneezing)이다.

① Sniffing: 냄새 맡기

② Sneezing: 재채기

③ Illness: 병, 질환

④ Injury: 부상

⑤ Ache: 아픔

해석 이것은 여러분의 코나 목에 있는 먼지를 제거하는 몸의 방법입니다. 그것은 종종 갑자기 경고 없이 발생한다. 이 증상이 꽤 짜증날 수 있지만, 보통 심각한 건강 문제의 결과는 아니다.

6일 누구나 100점 테스트 2회 48~49쪽

1 ⑤　**2** ①　**3** ④　**4** ⑤

5 Forgiveness(Forgiving), blame(blaming)

6 ⑤

7 (A) manufacturer　(B) consumers

8 ③

9 (A) Exchange　(B) Currency

10 ③

1 ⑤는 '유의어' 관계이고, 나머지는 '반의어' 관계이다.

① domestic 국내의 – international 국제적인

② encourage 격려하다 – discourage 낙담시키다

③ attendance 출석 – absence 결석

④ familiar 친숙한 – unfamiliar 낯선

⑤ career 직업 – occupation 직업

2 show no interest: 관심을 보이지 않다

= be indifferent: 무관심하다

해석 그는 다른 사람들의 고통에 아무런 관심도 보이지 않는다.

= 그는 다른 사람들의 고통에 무관심하다.

3 ①, ②, ③, ⑤는 성격을 묘사하는 단어들이고, ④의 desperate (절망적인, 절박한)은 상황을 묘사하는 단어이다.

① timid: 소심한

② selfish: 이기적인

③ polite: 공손한, 예의 바른

④ desperate: 절망적인

⑤ patient: 인내심이 있는

4 활기차고 북적한 분위기의 거리이므로, monotonous(단조로운)는 적절하지 않다.

① crowded: 붐비는

② lively: 활기찬

③ dynamic: 역동적인

④ exciting: 신나는, 흥미진진한

5 주어진 문장의 빈칸은 주어와 전치사의 목적어이므로 명사나 동명사가 와야 한다. 앞의 빈칸에는 Forgiveness나 Forgiving을 쓰고, 뒤의 빈칸에는 blame이나 blaming을 쓴다.

해석 용서하기 위해서는 먼저 비난해야 한다. 비난하지 않았다면, 용서할 것이 없다. 비난은 상대방에게 부정적인 감정을 갖는 것을 포함한다. 용서를 할 때, 여러분은 비난함으로써 만들어졌던 부정적인 감정을 갖는 것을 멈추게 된다.

→ 용서는 비난 후에 올 수 있다.

6 exotic(이국적인)에 대한 영영풀이이다.

① serious: 심각한, 진지한

② dreadful: 두려운, 무서운

③ sarcastic: 비꼬는, 빈정대는

④ urgent: 긴급한, 절박한

⑤ exotic: 이국적인, 색다른

[해석] 보통 먼 나라에서 왔거나 (먼 나라와) 관련 있기 때문에 특이하고 흥미로운

7 사람을 나타내는 명사 형태로 바꿔 써야 한다.

[해석] 제조업자는 다양한 도구를 사용하여 원료로 완제품을 생산한 후 제품을 소비자에게 판매하는 개인 또는 회사이다.

8 물 공급: water supply

① demand: 요구, 수요

② income: 수입, 소득

③ supply: 공급

④ credit: 신용, 신용 거래

⑤ degree: 학위; (온도계의) 도; 정도

9 환율: exchange rate

통화: currency

10 은행 계좌 변경 서비스에 대해 광고하는 글이므로, 정답은 ③이다.

① to reserve: 예약하기 위해

② to inquire: 문의하기 위해

③ to advertise: 광고하기 위해

④ to complain: 불평하기 위해

⑤ to celebrate: 기념하기 위해

[해석] 은행 계좌를 저희에게로 쉽고 빠르게 전환할 수 있습니다. 간단한 온라인 양식을 작성해 주시면 나머지는 저희가 처리해 드리겠습니다. '현 계좌 이동 서비스'를 사용하면 영업일 기준 7일밖에 걸리지 않습니다. 작업이 완료되면 이전 계정을 해지해 드리겠습니다.

6일 창의·융합·서술·코딩 테스트 **1회** 50~51쪽

Ⓐ **1** healthy

2 convenient

3 suitable

Ⓑ recipe, Ingredients, mixture

Ⓒ **1** sweeping the street

2 distributing chocolate-flavored ice cream

3 delivering a flower pot

4 polishing a wooden table.

Ⓐ [해석] **1** 스포츠에 참여하는 것은 건강에 좋다.

2 편하실 때 언제든지 오셔도 됩니다.

3 이 운동은 요통 환자들에게 적합하다.

Ⓑ [해석] **정말 쉬운 레모네이드**

신선한 레몬주스와 설탕을 사용하여 집에서 만든 레모네이드를 만드는 쉬운 요리법을 시도해 보세요.

재료: 레몬 3개, 설탕(140g), 냉수(1L)

방법 1. 레몬, 설탕, 그리고 물 반을 믹서기에 넣고 레몬이 잘게 다져질 때까지 섞으세요.

2. 볼에 체를 받쳐 섞은 혼합물을 붓고, 최대한 꾹꾹 눌러 즙을 짜세요. 남은 물을 부으세요.

Ⓒ [해석] **1** 줄무늬 티셔츠를 입은 남자가 길거리를 쓸고 있다.

2 평범한 노란색 티셔츠를 입은 두 남자가 초콜릿 맛 아이스크림을 나눠 주고 있다.

3 금발 생머리 소녀가 화분을 배달하고 있다.

4 갈색 곱슬머리를 한 소년이 나무 탁자를 닦고 있다.

6일 창의·융합·서술·코딩 테스트 **2회** 52~53쪽

Ⓐ **1** Forgiving someone, move forward, wonders

2 product, consumers make purchasing decisions

Ⓑ **1** rude / impolite

2 dreadful / terrible

Ⓒ **1** sociable

2 indifferent

3 impatient

Ⓐ **1** 용서하다: forgive

앞으로 나아가다: move forward

놀라운 일을 하다: do wonders

2 물건, 상품: product

소비자: consumer

구매 결정: purchasing decision

β 1 웨이터가 팁을 주지 않은 이유가 나와야 하고 무례하거나 예의 없었다는 내용이 와야 자연스럽다.
rude: 무례한
polite: 예의 바른, 정중한
impolite: 예의 없는
optimistic: 낙관적인
해석 웨이터가 Max에게 무례했기 때문에 그는 그 음식점에 팁을 남기지 않았다.

2 실직을 했으므로 느끼는 감정은 두렵거나 끔찍할 것이다.
cheerful: 기분이 좋은, 명랑한
dreadful: 무서운, 두려운
exotic: 이국적인, 색다른, 외국의
terrible: 무서운, 끔찍한
해석 Betty는 실직했을 때 끔찍함을 느꼈다.

C patient: 인내심 있는
impatient: 인내심 없는, 성급한
sociable: 사교성이 있는
timid: 소심한
indifferent: 무관심한
energetic: 역동적인, 열정이 넘치는
해석 1 당신이 사교적이라면, 당신은 친근하고 다른 사람들과 이야기하는 것을 좋아한다.
2 당신이 무관심하다면, 긴장하거나 흥분하는 일이 거의 없다.
3 당신이 성급하다면, 매사에 쉽게 짜증을 낸다.

7일 학교 시험 기본 테스트 1회 54~57쪽

1 ① 2 ①
3 missing, curly, injured
4 achievement
5 ② 6 ④ 7 ④
8 ② 9 ② 10 ③
11 vegetable, digestion
12 experiment, pressure
13 ③ 14 ① 15 ⑤
16 ② 17 ④
18 When someone responds slowly to a question
19 ⑤ 20 ①

1 attractive: 매력적인(= charming)
① charming: 매력적인
② convenient: 편안한
③ familiar: 친숙한
④ prepared: 준비된
⑤ optimistic: 낙관적인
해석 가장 매력적인 사람들은 신체 언어(바디 랭귀지)를 사용할 줄 안다.

2 clothing: 의류(= garment)
① garment: 의복
② dress shirt: 와이셔츠
③ wrinkle: 주름살
④ stripe: 줄무늬
⑤ equipment: 장비
해석 당신이 결국 입지 못하게 된 의류 아이템이 있는가?

3 curly: 곱슬의
missing: 실종된
injured: 부상을 입었다
해석 개 분실
우리가 사랑하는 애완견이 실종되었어요. 갈색 곱슬모입니다. 왼쪽 앞다리를 다쳤어요. 발견되면 010-123-4567로 전화 주세요.

4 feel a sense of achievement: 성취감을 느끼다
achieve: 성취하다
encourage: 격려하다
해석 학생들이 스스로 학습의 진보를 알 수 있을 때, 그들은 성취감을 느낄 것이다.

5 (A) decrease appetite: 식욕이 줄다
appetite: 식욕
appetizer: 전채, 애피타이저
(B) weight loss: 체중 감소
height: 키, 신장
weight: 체중, 무게
(C) suffering from long-term loss of appetite: 장기적인 식욕 상실로 고통 받고 있는
suffering: 고통 받고 있는
offering: 제공받고 있는
해석 식욕 감퇴는 예전과 같은 식욕이 없다는 것을 의미한다. 식욕 감퇴의 징후로는 먹기 싫음, 의도하지 않은 체중 감소, 배고픔을 느끼

지 않음이 있다. 음식을 먹는다는 생각은 마치 먹은 후에 토할 것 같은 메스꺼움을 느끼게 할 수도 있다. 장기적인 식욕 상실로 고통 받는 사람들은 의학적 또는 정신적 원인이 있을 수 있다.

6 look similar: 닮아 보이다 = resemble: 닮다
① attract: 끌어당기다, 매혹하다
② engage: 종사하다, 참여하다; 주의를 끌다; 약혼하다
③ respond: 반응하다; 대답하다
④ resemble: 닮다
⑤ educate: 교육하다
해석 그들은 쌍둥이라서 서로 닮았다.

7 〈보기〉는 '상의어-하의어' 관계이므로, ④와 관계가 같다.
〈보기〉 furniture 가구 - drawer 서랍
① healthy 건강한 - unhealthy 건강하지 않은
　→ 반의어 관계
② flavor 맛; 맛을 내다 - taste 맛; 맛을 내다
　→ 유의어 관계
③ urban 도시의 - rural 시골의
　→ 반의어 관계
④ residence 주거지 - mansion 대저택
　→ 상의어 - 하의어 관계
⑤ convenience 편안 - convenient 편안한
　→ 명사 - 형용사 관계

8 호텔 모바일 앱을 통해 투숙객들이 접근할 수 있는 것은 방이나 다른 시설(facilities)일 것이다.
① facilitate: 용이하게 하다, 촉진하다
② facilities: 편의, 시설
③ reside: 거주하다
④ residents: 거주자들
⑤ delivery: 배달
해석 일부 호텔 체인들은 투숙객들이 그들의 방이나 다른 시설에 접근할 수 있도록 모바일 앱을 사용하고 있다.

9 cotton(면), silk(실크), pajamas(잠옷) 등으로 보아 잠옷을 판매하려는 것을 알 수 있다.
① T-shirt
② pajamas
③ suit
④ socks
⑤ dress shirt

해석 저희는 면, 실크, 그리고 그 이상의 천으로 된 여성용 최고의 잠옷을 가지고 있습니다. 잠옷을 입으면 편안해집니다. 35달러 이상 주문 시 무료 배송!

10 (A) celebrate our 10th anniversary: 10주년 기념일을 축하하다
　celebrate: 축하하다, 기념하다
　withdraw: 취소하다; 철수하다
(B) suits our company's vision: 우리 회사의 비전에 적합하다
　suit: 적합하다, 어울리다
　block: 막다
(C) deliver our brand message: 우리 브랜드 메시지를 전달하다
　hide: 숨기다
　deliver: 전달하다
해석 저희 회사의 창립 10주년 기념일을 축하하기 위해서 저희 회사 브랜드 정체성을 다시 설계하고 새로운 로고를 선보일 계획입니다. 저희 회사의 핵심 비전 '인류애를 고양하자'에 적합한 로고를 제작해 주시기를 요청합니다. 새로운 로고가 저희 회사 브랜드 메시지를 전달하고 KHJ의 가치가 담기기를 바랍니다. 완성하는 대로 로고 디자인 제안서를 보내 주십시오. 감사합니다.

11 채소: vegetable
소화: digestion

12 실험: experiment
압력: pressure

13 stomachache(복통)에 관해 설명하는 글이다. 각각의 그림은
① sorrow ② backache ③ stomacheache ④ headache
⑤ injured이다.
해석 대부분의 복통의 원인은 걱정해야 할 이유가 아니며, 여러분의 의사는 그 문제를 쉽게 진단하고 치료할 수 있다. 하지만, 때때로, 이것은 의사의 치료를 필요로 하는 심각한 병의 징후가 될 수 있다.

14 ①의 mental은 '마음의, 정신적인'이라는 뜻이고, '육체의'는 physical이다.
해석 ① 신체 건강이 나빠지면 정신 건강에 부정적인 영향을 미칠 수 있다.
② 암환아 치료에 있어서 상당한 진전이 있었다.
③ 그녀는 모든 것이 정돈되고 깔끔한 것을 좋아한다.
④ 배지와 메모는 직원, 학생, 친구 등을 격려할 수 있는 좋은 방법

이다.
⑤ 우리가 곧 고등학교를 졸업한다니 믿을 수가 없다.

15 하나의 목표를 성취한 후에 옛 습관으로 되돌아가는 목표 지향적 사고와 대조되는 진정한 장기적 사고에 대해 언급하는 상황이므로, ⑤에서 장기적 사고는 하나의 성취(achievement)에 관한 것이 아니라는 내용이 되어야 자연스럽다.

해석 목표 지향적인 사고방식은 "요요" 효과를 낼 수 있다. 많은 달리기 선수들이 몇 달 동안 열심히 연습하지만, 결승선을 통과하는 순간 훈련을 중단한다. 그 경주는 더 이상 그들에게 동기를 주지 않는다. 당신이 애쓰는 모든 일이 특정한 목표에 집중될 때, 당신이 그것을 성취한 후에 당신을 앞으로 밀고 나갈 수 있는 것은 무엇인가? 이것이 많은 사람들이 목표를 성취한 후 옛 습관으로 되돌아가는 자신을 발견하는 이유이다. 목표를 설정하는 목적은 경기에서 이기는 것이다. 시스템을 구축하는 목적은 게임을 계속하기 위한 것이다. 진정한 장기적 사고는 목표 지향적이지 않은 사고이다. 그것은 어떤 하나의 실패(→ 성취)에 관한 것이 아니다. 그것은 끝없는 정제와 지속적인 개선의 순환에 관한 것이다.

16 muscle(근육)에 대한 영영풀이이다.
① flesh: 살
② muscle: 근육
③ organ: 장기
④ nerve: 신경
⑤ blood: 피, 혈액
해석 두 뼈를 연결하고 당신이 움직일 때 사용하는 몸 안의 조직

17 discipline(규율, 훈육)에 대한 영영풀이이다.
① pain: 고통
② injury: 부상
③ degree: 학위
④ discipline: 규율, 훈육
⑤ experience: 경험
해석 사람들이 규칙이나 행동 기준을 따르도록 하고, 그렇지 않을 때 처벌하는 관행

18 ~에 대답하다: respond to

19 소매나 휴지로 가리고 기침과 재채기를 하라는 말은 있지만 ⑤의 사용한 휴지 처리에 대한 언급은 없다.
해석 안전 및 건강 유지
Covid-19의 감염 위험을 줄이기
비누로 손을 씻으세요. / 소매나 휴지로 가리고 기침과 재채기를 하

세요. / 공공장소에서 서로 1m 정도의 거리를 유지하세요. / 급한 일이 없을 때는 집에 머무세요.

20 (A) be located at: ~에 위치하다
located: 위치한
location: 위치, 장소
(B) pain of loss: 상실의 고통
pain: 고통
painful: 아픈
(C) be relate to: ~와 관계가 있다
related: 관련된
relative: 친척
해석 (A) 그 고대 왕국은 히말라야 산맥 기슭에 위치해 있었다.
(B) 그는 동물이 상실의 고통을 느낄지 궁금해 했다.
(C) 그 범죄는 약물 남용과 관련이 있었다.

7일 학교 시험 기본 테스트 2회   58~61쪽

1 ④   **2** ①
3 application
4 polite
5 ⑤   **6** ④   **7** ④   **8** ⑤
9 ①   **10** ②
11 career
12 occupied
13 ①
14 The cost for the production of light
15 ⑤   **16** ③   **17** ⑤
18 (A) adapt (B) prepare
19 ①   **20** ④

1 earnings는 '수입, 소득'의 의미로 income과 의미가 유사하다.
① profit: 이익
② input: 수입(↔ output: 수출)
③ outcome: 결과
④ income: 수입, 소득
⑤ expenditure: 지출
해석 그의 수입 대부분은 연기에서 나온다.

2 ②, ③, ④, ⑤ 모두 '반의어' 관계이다. ①은 '다른－무관심한'의 의미로 '반의어' 관계가 아니다.
① different: 다른
indifferent: 무관심한
② active: 적극적인, 활동적인
passive: 수동적인
③ optimistic: 낙천적인
pessimistic: 비관적인
④ import: 수입(하다)
export: 수출(하다)
⑤ shy: 소심한, 내성적인
outgoing: 사교적인, 외향적인

3 apply: 지원하다
application: 지원서
해석 일자리에 지원하는 것은 채용 과정의 중요한 단계이다. 지원서는 직무에 대한 관심을 표시하고 관련 기술과 경험을 고용주에게 알려 준다. 지원서를 잘 작성하는 방법을 알면 면접 초대를 받을 수 있는 기회에 큰 영향을 미칠 수 있다.

4 소년의 성격을 묘사하는 표현으로 polite(예의 바른)가 적절하다.
해석 노부인이 길을 건너는 것을 돕다니 그 소년은 예의 바른 것이 분명하다.

5 ⑤ 무의미한 경쟁 속에서 아무것도 하지 않는 것(To choose not to run is ~)은 지는 것을 의미하므로 to win이 아니라 to lose를 써야 한다.
seek job advancement: 더 나은 직업을 찾다
해석 학생들은 공부에 관심이 없을 때에도 좋은 성적을 얻기 위해 공부한다. 사람들은 심지어 이미 가지고 있는 직업에 만족할 때조차도 더 나은 직업을 찾는다. 그것은 마치 사람들로 붐비는 축구 경기장에서 중요한 경기를 관람하는 것과 같다. 몇 줄 앞에 있는 한 관중이 더 잘 보기 위해 일어서고, 뒤이어 연쇄 반응이 일어난다. 단지 이전처럼 잘 보기 위해 곧 모든 사람들이 일어서게 된다. 모두가 앉기보다는 일어서지만, 그 누구의 위치도 나아지지 않았다. 사람들이 위치에 관련된 재화(이익)를 추구할 때, 그들은 치열한 경쟁을 하지 않을 수 없다. 뛰지 않기로 선택하는 것은 이기는(→ 지는) 것이다.

6 curious: 궁금한, 호기심 있는
해석 초보 운전자들은 종종 그들의 운전 기술에 대해 걱정한다.

7 ④ healthy는 '건강한'의 뜻으로 성격을 묘사하는 단어가 아니다.
① passive: 수동적인
② impatient: 성급한
③ outgoing: 외향적인
④ healthy: 건강한
⑤ courageous: 용감한

8 서비스가 불만이므로 고객에게 해줄 수 있는 것은 '환불'이다.
① exchange: 환전; 교환하다
② complain: 불평하다
③ respond: 반응하다, 대답하다
④ purchase: 구입, 구매; 구매하다(buy)
⑤ refund: 환불; 환불하다
해석 당신이 저희 서비스에 만족하지 않으면, 환불해 드리겠습니다.

9 학생들이 실험을 하고 있는 상황이다.
실험을 하다: perform an experiment
해석 ① 학생들이 실험을 하고 있다.
② 학생들은 수학 수업에 참여하고 있다.
③ 아이들이 의견을 교환하고 있다.
④ 아이들이 마실 것을 준비하고 있다.
⑤ 선생님이 과제물에 대해 학생들을 칭찬하고 있다.

10 (A) promote: 승진시키다
promotion: 승진
(B) urge: 촉구하다
urgent: 시급한
(C) familiar: 친숙한
familiarity: 친숙함
[해석] (A) 그녀는 감독관으로 승진했다.
(B) 에너지 효율 개선은 시급한 요구 사항이다.
(C) 우리는 우리에게 친숙해 보이는 사람들에게 끌린다.

11 경력: career

12 차지하다: occupy

13 예금 계좌를 개설하는 상황이므로 대화 장소는 은행임을 알 수 있다.

해석 M: 도와드릴까요?

W: 네. 예금 계좌를 개설하고 싶어요.

M: 좋아요. 먼저 이 양식을 채우셔야 해요.

14 비용: cost

생산: production

15 ⑤ 의심이 스트레스를 일으킨다는 내용이므로, 의심은 긍정적인 경험, 중립적인 경험, 부정적인 경험을 더 비관적으로 (pessimistically) 보게 한다는 내용이 되어야 자연스럽다.

internal pressure: 내적 압박

selfworth: 자아 존중

suffer: 고통을 받다

uniquely: 독특하게

selfdoubt: 자기 의심

bother: 괴롭히다

neutral: 중립적인

genuinely: 진짜로

해석 무언가에 깊이 관심을 두면, 그 영역에서 성공하기 위한 여러분의 능력에 더 큰 가치를 둘지도 모른다. 성취하거나 사회적으로 성공하기 위해 스스로에게 가하는 내적인 압박은 정상적이고 유용하지만, 자신에게 중요한 영역에서 성공하기 위한 여러분의 능력을 의심하면, 여러분의 자아 존중감은 상처를 입는다. 상황이 우리의 의심을 활성화하는지 여부에 따라 그것은 우리 각각에게 저마다 다른 방식으로 스트레스를 준다. 여러분의 스트레스를 일으키는 것은 결코 수행에 대한 압박이 아니다. 오히려, 여러분을 괴롭히는 것은 바로 자기 의심이다. 의심은 긍정적인 경험, 중립적인 경험, 그리고 심지어 진짜로 부정적인 경험을 더 낙관적으로(→ 비관적으로) 보게 한다.

16 profit(이익)에 대한 영영풀이이다.

① loan: 대출

② cost: 비용; 비용이 들다

③ profit: 이익

④ trade: 무역, 거래

⑤ invest: 투자하다

해석 무언가를 벌거나, 얻거나, 하는 데 든 비용보다 더 많은 돈을 받았을 때 얻게 되는 금액

17 commerce(상업)에 대한 영영풀이이다.

① balance: 균형, 수지, 잔고

② credit: 신용, 신용 거래

③ currency: 화폐, 통화, 유통

④ import: 수입

⑤ commerce: 상업, 무역

해석 물건을 사고파는 것과 관련된 활동과 절차

18 adapt to: ~에 적응하다

prepare for: ~에 대해 준비하다

〈보기〉adopt: 채택하다

adapt: 적응하다

prepare: 준비하다, 대비하다

promote: 승진시키다, 홍보하다

해석 인류의 지속적인 생존은 환경에 적응하는 우리의 능력으로 설명될 수 있을 것이다. 우리가 고대 조상들의 생존 기술 중 일부를 잃어버렸을지도 모지만, 새로운 기술이 필요해지면서 우리는 새로운 기술을 배웠다. 오늘날 우리가 현대 기술에 더 크게 의존함에 따라 한때 우리가 가졌던 기술과 현재 우리가 가진 기술 사이의 간극이 어느 때보다 더 커졌다. 그러므로, 미지의 땅으로 향할 때에는, 그 환경에 대해 충분히 준비하는 것이 중요하다.

19 ① 마케팅 전문가를 모집한다고 언급되어 있으므로 ①은 적절치 않다.

20 (A) indifferent: 무관심한

desperate: 절망적인, 절박한

(B) demand: 요구하다

supply: 공급하다

(C) expect: 기대하다

export: 수출하다

해석 (A) 젊은 근로자들 중 일부는 취업에 아주 절박해서 무슨 일이든 하려고 한다.

(B) 자연은 종종 식물에 물과 햇빛을 공급한다.

(C) 새로운 기술이 전 세계로 수출되어 왔다.

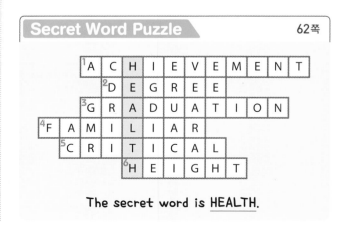

Secret Word Puzzle 62쪽

¹A C H I E V E M E N T

²D E G R E E

³G R A D U A T I O N

⁴F A M I L I A R

⁵C R I T I C A L

⁶H E I G H T

The secret word is HEALTH.

7일 끝!

어휘 모아 보기

Book 1

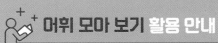 **어휘 모아 보기 활용 안내**

- 5일간 학습한 **일별 어휘** 한꺼번에 확인하기!
- **어휘 테스트**를 통해 **한 번 더** 체크하기!

1일

☐ **appetite** 명 식욕

☐ **appetizer** 명 전채 요리, 애피타이저

☐ **convenience** 명 편리

☐ **convenient** 형 편리한

☐ **deliver** 동 1. 배달하다 2. 의견을 말하다 3. 출산하다

☐ **delivery** 명 배달

☐ **digest** 동 1. 소화하다 2. 이해하다

☐ **digestion** 명 소화, 소화력

☐ **digestive** 형 소화의
　　　　　　　 명 소화제

☐ **dress shirt** 명 와이셔츠

☐ **facilitate** 동 용이하게 하다, 촉진하다

☐ **facility** 명 (-ties) 편의, 시설

☐ **flavor** 명 맛(taste)
　　　　　 동 맛을 내다

☐ **flavored** 형 ~ 맛이 나는(복합어로 사용)

☐ **garment** 명 (-s) 옷, 의류(clothing)

☐ **ingredient** 명 1. 재료, 성분 2. 요인, 요소

☐ **locate** 동 ~의 위치를 찾아내다, 두다

☐ **location** 명 장소, 위치

☐ **mansion** 명 대저택

☐ **mix** 동 섞다, 혼합하다

☐ **mixture** 명 혼합, 혼합물

☐ **mop** 동 (자루걸레로) 닦아내다

☐ **neat** 형 단정한, 깔끔한(tidy)

☐ **pajama** 명 (바지와 상의로 된) 잠옷, 파자마(항상 -s)

☐ **plain** 형 1. 무늬가 없는, 수수한 2. 명백한
　　　　 명 평원, 평지(종종 -s)

☐ **plainly** 부 수수하게

☐ **polish** 동 (윤이 나게) 닦다, 광을 내다

☐ **preparation** 명 준비

☐ **prepare** 동 준비하다

☐ **recipe** 명 조리법

☐ **reside** 동 거주하다, 살다(live, dwell)

☐ **residence** 명 거주, 거처, 주소

☐ **resident** 명 거주자
　　　　　　 형 거주하는

☐ **rural** 형 시골의

☐ scrub 图 문질러 닦아내다

☐ stripe 阅 줄무늬

☐ striped 阅 줄무늬의

☐ suburb 阅 교외의, 교외에 사는

☐ suit 阅 정장, 한 벌
　　图 1. 어울리다 2. 적합하다

☐ suitable 阅 적합한, 어울리는(fit)

☐ sweep 图 쓸다, 청소하다

☐ sweeper 阅 청소부

☐ urban 阅 도시의

☐ vegetable 阅 채소

☐ vegetarian 阅 채식주의자
　　　阅 채식주의자의

☐ villa 阅 휴가용 주택, 별장

☐ wipe 图 (물기, 오물을) 닦아내다

2일

☐ ache 图 아프다
　　阅 아픔

☐ attract 图 끌어당기다, 매혹하다

☐ attraction 阅 매력, 끌림

☐ attractive 阅 매력적인, 멋진

☐ bald 阅 대머리의, 머리가 벗겨진

☐ bleed 图 피를 흘리다

☐ blond(e) 阅 금발의
　　　阅 금발을 한 사람

☐ blood 阅 피, 혈액

☐ bloody 阅 피의, 피투성이의

☐ bold 阅 대담한

☐ bone 阅 뼈; (-s) 뼈대, 골격

☐ brown 阅 갈색의

☐ cough 图 기침을 하다
　　阅 기침

☐ curly 阅 곱슬곱슬한(wavy)

☐ fat 阅 살찐

☐ flesh 阅 살

☐ headache 阅 두통

☐ healthy 阅 건강한, 건강에 좋은

☐ height 阅 키, 신장; 높이

☐ **ill** 혱 아픈, 병든(sick)

☐ **illness** 몡 병, 아픔, 질환

☐ **injure** 통 부상당하다

☐ **injured** 혱 부상당한

☐ **injury** 몡 부상

☐ **mental** 혱 정신의, 마음의

☐ **mentally** 붓 정신적으로

☐ **muscle** 몡 근육

☐ **muscular** 혱 근육의, 근육질의

☐ **nerve** 몡 신경, 긴장; (보통 -s) 용기, 대담

☐ **nervous** 혱 신경의; 긴장한, 초조한

☐ **organ** 몡 1. (인체의) 장기 2. (파이프) 오르간

☐ **organic** 혱 1. (인체의) 장기의 2. 유기체의 3. 유기농의

☐ **overweight** 혱 살찐

☐ **pain** 몡 고통; (-s) 수고

☐ **painful** 혱 아픈, 고통스러운, 힘든

☐ **painless** 혱 고통이 없는

☐ **physical** 혱 육체의; 물질적인

☐ **physically** 붓 육체적으로

☐ **press** 통 누르다

☐ **pressure** 몡 압력, 압박, 스트레스

☐ **respond** 통 반응하다, 대답하다

☐ **response** 몡 반응; 대답

☐ **silver** 혱 은색의

☐ **slim** 혱 날씬한(slender, thin), 가느다란

☐ **sneeze** 통 재채기를 하다
　　　　 몡 재채기

☐ **sniff** 통 냄새를 맡다; 코를 훌쩍이다
　　　 몡 냄새 맡기, 코를 훌쩍이기

☐ **sore** 혱 따가운

☐ **stomachache** 몡 복통

☐ **straight** 혱 직모의

☐ **suffer** 통 (질병, 슬픔 등에) 고통 받다, 겪다

☐ **treat** 통 1. 치료하다(cure) 2. 다루다 3. 대접하다

☐ **treatment** 몡 1. 치료 2. 처리 3. 대접

☐ **unhealthy** 혱 건강하지 못한, 유해한

☐ **weigh** 통 무게를 달다

☐ **weight** 몡 체중, 무게

☐ **wrinkle** 명 주름살; 구김살
　　　　　 동 주름이 생기다

☐ **wrinkled** 형 주름진

3일

☐ **absence** 명 결석

☐ **achieve** 동 성취하다, 이루다

☐ **achievement** 명 성취, 업적

☐ **adapt** 동 적응하다; 각색하다

☐ **adopt** 동 1. 입양하다 2. 채택하다 3. (방식을) 쓰다

☐ **adoption** 명 1. 입양 2. 채택

☐ **amateur** 명 아마추어

☐ **applicant** 명 지원자

☐ **application** 명 지원, 신청; 적용

☐ **apply** 동 1. 지원하다, 신청하다 2. 적용하다
　　　　 3. (약을) 바르다

☐ **attend** 동 참석하다; 주의를 기울이다

☐ **attendance** 명 출석, 참석

☐ **blame** 동 비난하다, 탓하다(criticize)
　　　　 명 비난

☐ **career** 명 경력, 이력; 직업, 진로

☐ **celebrate** 동 축하하다, 기념하다

☐ **celebration** 명 축하

☐ **degree** 명 1. 학위 2. (온도계의) 도 3. 수준, 정도

☐ **discipline** 명 규율
　　　　　 동 훈육하다, 징계하다

☐ **discourage** 동 단념시키다

☐ **domestic** 형 1. 가정용의 2. 국내의 3. 길들여진

☐ **educate** 동 교육하다

☐ **educated** 형 교양 있는, 학식 있는

☐ **education** 명 교육

☐ **encourage** 동 용기를 북돋우다, 격려하다

☐ **encouragement** 명 격려, 권장

☐ **engage** 동 1. 종사하다, 참여하다 2. (주의를) 끌다
　　　　 3. 약혼하다

☐ **engagement** 명 고용; 약혼

☐ **experiment** 명 실험
　　　　　 동 실험을 하다

☐ **expert** 명 전문가
　　　　형 전문가의, 숙련된

☐ **expertise** 명 전문적인 지식

☐ **familiar** 형 친숙한 , 잘 알려진, 낯익은

☐ **familiarity** 명 친숙함, 허물없음

☐ **forgive** 동 용서하다(pardon)

☐ **forgiveness** 명 용서

☐ **graduate** 동 졸업하다
　　　　　명 졸업생

☐ **graduation** 명 졸업

☐ **liar** 명 거짓말쟁이

☐ **lie** 동 거짓말하다(tell a lie)
　　　명 거짓말

☐ **neglect** 동 무시하다, 소홀히 하다
　　　　　명 무시, 태만

☐ **neglectful** 형 소홀한, 태만한

☐ **occupation** 명 직업(job); 점령

☐ **occupy** 동 차지하다, 점령하다

☐ **praise** 동 칭찬하다

☐ **promote** 동 1. 승진하다 2. 촉진하다 3. 홍보하다

☐ **promotion** 명 1. 승진 2. 촉진 3. 홍보

☐ **relate** 동 관련시키다

☐ **relative** 명 친척(relation)
　　　　　형 비교적인, 관련된

☐ **relatively** 부 비교적, 상대적으로

☐ **resemblance** 명 닮음, 유사함

☐ **resemble** 동 닮다, 비슷하다

☐ **unfamiliar** 형 익숙하지 않은, 낯선

4일

☐ **active** 형 적극적인

☐ **anxiety** 명 걱정; 갈망

☐ **anxious** 형 걱정하는(worried); 갈망하는(eager)

☐ **brave** 형 용감한

☐ **cheerful** 형 기분이 좋은, 명랑한

☐ **content** 동 만족시키다

☐ **contented** 형 만족한(satisfied)

☐ **courageous** 형 용감한

☐ **critic** 명 비평가, 평론가

- [ ] **critical** 형 비판적인; 중대한
- [ ] **criticize** 동 비판하다, 비난하다
- [ ] **crowd** 동 붐비다, 가득 메우다
  명 군중
- [ ] **crowded** 형 혼잡한, 붐비는(↔ quiet)
- [ ] **desperate** 형 절망적인, 절박한
- [ ] **domestic** 형 가정용의; 국내의
- [ ] **dreadful** 형 무서운, 두려운(fearful, horrible)
- [ ] **dynamic** 형 역동적인(active, energetic)
- [ ] **exotic** 형 이국적인, 색다른, 외국의(foreign)
- [ ] **gloomy** 형 우울한
- [ ] **impatience** 명 성급함, 조바심
- [ ] **impatient** 형 참을 수 없는
- [ ] **indifference** 명 무관심
- [ ] **indifferent** 형 무관심한
- [ ] **ironic** 형 역설적인, 반어적인
- [ ] **irony** 명 풍자, 비꼼; 반어법
- [ ] **lively** 형 활기찬, 힘찬
  부 활발하게, 씩씩하게
- [ ] **loneliness** 명 외로움, 고독

- [ ] **lonely** 형 외로운, 고독한
- [ ] **monotonous** 형 단조로운
- [ ] **monotony** 명 단조로움
- [ ] **optimist** 명 낙천주의자
- [ ] **optimistic** 형 낙관적인
- [ ] **outgoing** 형 외향적인, 사교적인(sociable)
- [ ] **passive** 형 소극적인, 수동적인
- [ ] **patience** 명 인내심
- [ ] **patient** 형 참을성 있는
  명 환자
- [ ] **pessimist** 명 비관주의자
- [ ] **pessimistic** 형 비관적인
- [ ] **polite** 형 공손한, 예의 바른(courteous)
- [ ] **politely** 부 예의 바르게, 정중히
- [ ] **rude** 형 무례한
- [ ] **sarcastic** 형 비꼬는, 빈정대는
- [ ] **selfish** 형 이기적인
- [ ] **sentiment** 명 감상, 감정, 정서
- [ ] **sentimental** 형 감상적인, 감정적인

- [ ] **serious** 형 심각한, 진지한
- [ ] **seriously** 부 심각하게, 진지하게
- [ ] **shy** 형 수줍어하는
- [ ] **sorrow** 명 슬픔
- [ ] **sorrowful** 형 슬픈
- [ ] **static** 형 정적인
- [ ] **timid** 형 겁이 많은, 소심한(cowardly)
- [ ] **uncrowded** 형 한산한
- [ ] **unselfish** 형 이기적이지 않은
- [ ] **urge** 동 촉구하다; 주장하다
- [ ] **urgency** 명 긴급
- [ ] **urgent** 형 긴급한, 절박한

5일

- [ ] **account** 명 1. 계좌 2. 설명 3. 이유
  동 설명하다
- [ ] **advertise** 동 광고하다

- [ ] **advertisement** 명 광고(ad)
- [ ] **balance** 명 수지, 잔고; 균형
  동 균형을 잡다
- [ ] **coast** 명 연안
- [ ] **commerce** 명 상업, 무역
- [ ] **commercial** 형 상업적인
  명 광고 방송
- [ ] **consume** 동 소비하다
- [ ] **consumer** 명 소비자
- [ ] **consumption** 명 소비
- [ ] **contract** 명 계약(서)
  동 계약하다
- [ ] **cost** 명 비용, 경비
  동 비용이 들다
- [ ] **credible** 형 믿을 만한
- [ ] **credit** 명 신용, 신용 거래
  동 신용하다
- [ ] **currency** 명 화폐, 통화; 유통
- [ ] **current** 형 현재의, 지금의
  명 경향, 추세
- [ ] **demand** 명 수요
  동 요구하다
- [ ] **employ** 동 고용하다

☐ **employment** 몡 고용

☐ **exchange** 몡 교환
　　　　　 통 교환하다

☐ **expenditure** 몡 지출

☐ **export** 몡 수출
　　　　 통 수출하다

☐ **finance** 몡 자금, 재정

☐ **financial** 혱 재정의, 금융상의

☐ **import** 몡 수입
　　　　 통 수입하다

☐ **income** 몡 수입, 소득(earnings)

☐ **incredible** 혱 믿기 힘든

☐ **interest** 몡 이자; 관심

☐ **invest** 통 투자하다

☐ **investment** 몡 투자

☐ **lie** 통 거짓말하다(tell a lie)
　　　 몡 거짓말

☐ **loan** 몡 대출, 융자, 빌려줌
　　　　통 빌려 주다

☐ **loss** 몡 손실

☐ **luxurious** 혱 사치스러운, 호화로운

☐ **luxury** 몡 사치, 사치품

☐ **manufacture** 몡 제조, 생산
　　　　　　　 통 제조하다, 생산하다

☐ **manufacturer** 몡 제조업자

☐ **necessity** 몡 필수품

☐ **produce** 통 생산하다

☐ **producer** 몡 생산자

☐ **production** 몡 생산

☐ **profit** 몡 이익
　　　　 통 이익을 얻다

☐ **profitable** 혱 이익이 되는

☐ **purchase** 몡 구입, 구매
　　　　　 통 구매하다(buy)

☐ **refund** 몡 환불
　　　　 통 환불하다

☐ **supply** 몡 공급
　　　　 통 공급하다

☐ **trade** 몡 거래, 무역
　　　　 통 거래하다, 사업하다

☐ **unemploy** 통 해고하다

☐ **unemployment** 몡 해고

1일 영어는 우리말로, 우리말은 영어로 쓰시오.

01	convenient		21	편리	
02	digest		22	소화, 소화력	
03	flavored		23	맛(taste); 맛을 내다	
04	ingredient		24	대저택	
05	mix		25	혼합, 혼합물	
06	urban		26	준비	
07	suit		27	거주자; 거주하는	
08	sweep		28	준비하다	
09	neat		29	수수하게	
10	appetite		30	채소	
11	delivery		31	배달하다	
12	garment		32	거주, 거처, 주소	
13	facility		33	용이하게 하다, 촉진하다	
14	location		34	~의 위치를 찾아내다, 두다	
15	reside		35	잠옷, 파자마	
16	recipe		36	청소부	
17	polish		37	(물기, 오물을) 닦아내다	
18	plain		38	적합한, 어울리는	
19	vegetarian		39	줄무늬	
20	striped		40	시골의	

2일 영어는 우리말로, 우리말은 영어로 쓰시오.

01	bone	21	키, 신장; 높이
02	healthy	22	복통
03	attractive	23	반응하다, 대답하다
04	muscle	24	치료; 처리; 대접
05	organ	25	직모의
06	painful	26	육체적으로
07	response	27	고통스러운
08	sniff	28	(인체의) 장기의; 유기체의; 유기농의
09	suffer	29	금발의
10	weight	30	부상당한
11	wrinkle	31	대담한
12	pressure	32	신경의; 긴장한
13	slim	33	근육의, 근육질의
14	ache	34	정신의, 마음의
15	bald	35	병, 아픔, 질환
16	blood	36	육체의, 물질적인
17	injure	37	두통
18	nerve	38	매력, 끌림
19	treat	39	피를 흘리다
20	sneeze	40	곱슬곱슬한

3일 영어는 우리말로, 우리말은 영어로 쓰시오.

01	celebrate	_____	21	적응하다; 각색하다	_____
02	adopt	_____	22	아마추어	_____
03	blame	_____	23	친숙한 , 잘 알려진, 낯익은	_____
04	discipline	_____	24	학위; (온도계의) 도; 수준, 정도	_____
05	apply	_____	25	경력, 이력; 직업, 진로	_____
06	expert	_____	26	교육	_____
07	forgive	_____	27	결석	_____
08	graduation	_____	28	지원, 신청; 적용	_____
09	neglect	_____	29	축하	_____
10	promotion	_____	30	교양 있는, 학식 있는	_____
11	resemble	_____	31	친숙함, 허물없음	_____
12	achievement	_____	32	차지하다, 점령하다	_____
13	attendance	_____	33	승진하다; 홍보하다	_____
14	domestic	_____	34	관련시키다	_____
15	engage	_____	35	익숙하지 않은, 낯선	_____
16	experiment	_____	36	격려, 권장	_____
17	liar	_____	37	용서	_____
18	relative	_____	38	성취하다, 이루다	_____
19	occupation	_____	39	참석하다; 주의를 기울이다	_____
20	encourage	_____	40	소홀한, 태만한	_____

4일 영어는 우리말로, 우리말은 영어로 쓰시오.

01	crowded		21	적극적인
02	desperate		22	비판하다, 비난하다
03	exotic		23	무관심
04	gloomy		24	역설적인, 반어적인
05	dreadful		25	참을 수 없는
06	dynamic		26	외로운, 고독한
07	optimistic		27	단조로운
08	outgoing		28	비꼬는, 빈정대는
09	passive		29	이기적인
10	sentimental		30	슬픈
11	serious		31	겁이 많은, 소심한
12	urgent		32	용감한
13	polite		33	비관적인
14	irony		34	무례한
15	lively		35	외로움, 고독
16	impatience		36	참을성 있는; 환자
17	anxious		37	정적인
18	content		38	만족시키다; 내용
19	critical		39	비평가, 평론가
20	indifferent		40	걱정; 갈망

5일 영어는 우리말로, 우리말은 영어로 쓰시오.

01	contract	21	이자; 관심
02	cost	22	투자하다
03	financial	23	상업, 무역
04	import	24	대출, 융자, 빌려줌; 빌려 주다
05	income	25	생산
06	luxury	26	이익이 되는
07	manufacture	27	해고하다
08	purchase	28	상업적인; 광고 방송
09	refund	29	소비
10	supply	30	믿을 만한
11	trade	31	현재의, 지금의; 경향, 추세
12	account	32	요구하다; 수요
13	balance	33	지출
14	advertise	34	수출(하다)
15	credit	35	믿기 힘든
16	currency	36	사치스러운, 호화로운
17	employment	37	제조업자
18	exchange	38	해고
19	consumer	39	광고(ad)
20	profit	40	자금, 재정

어휘 테스트 정답

1일

01 편리한　02 소화하다; 이해하다　03 ~ 맛이 나는　04 재료, 성분; 요인, 요소　05 섞다, 혼합하다　06 도시의　07 정장, 한 벌; 적합하다　08 쓸다, 청소하다　09 단정한, 깔끔한　10 식욕　11 배달　12 옷, 의류　13 편의, 시설　14 장소, 위치　15 거주하다, 살다　16 조리법 17 (윤이 나게) 닦다, 광을 내다　18 무늬가 없는; 수수한　19 채식주의자; 채식주의자의　20 줄무늬의　21 convenience　22 digestion　23 flavor　24 mansion　25 mixture　26 preparation　27 resident　28 prepare　29 plainly　30 vegetable　31 deliver　32 residence　33 facilitate　34 locate　35 pajama　36 sweeper　37 wipe　38 suitable　39 stripe　40 rural

2일

01 뼈; 뼈대, 골격　02 건강한, 건강에 좋은　03 매력적인, 멋진　04 근육　05 (인체의) 장기; (파이프) 오르간　06 아픈, 고통스러운; 힘든　07 반응; 응답　08 냄새를 맡다; 코를 훌쩍이다　09 (질병, 슬픔 등에) 고통 받다, 겪다　10 체중, 무게　11 주름살; 구김살; 주름이 생기다　12 압력, 압박, 스트레스　13 날씬한, 가느다란　14 아프다; 아픔　15 대머리의, 머리가 벗겨진　16 피, 혈액　17 부상당하다　18 신경, 긴장; 용기, 대담　19 치료하다; 다루다; 대접하다　20 재채기를 하다; 재채기　21 height　22 stomachache 23 respond　24 treatment　25 straight　26 physically　27 painful　28 organic　29 blond(e)　30 injured　31 bold　32 nervous　33 muscular　34 mental　35 illness　36 physical　37 headache　38 attraction　39 bleed　40 curly

3일

01 축하하다, 기념하다　02 입양하다; 채택하다　03 비난하다, 탓하다; 비난　04 규율; 훈육하다, 징계하다　05 지원하다, 신청하다; 적용하다; (약을) 바르다　06 전문가; 전문가의, 숙련된　07 용서하다　08 졸업　09 무시하다, 소홀히 하다　10 승진: 촉진; 홍보　11 닮다, 비슷하다　12 성취, 업적　13 출석, 참석　14 가정용의; 국내의; 길들여진　15 종사하다, 참여하다; (주의를) 끌다; 약혼하다　16 실험; 실험을 하다　17 거짓말쟁이　18 친척; 비교적인, 관련된　19 직업, 점령　20 용기를 북돋우다, 격려하다　21 adapt　22 amateur　23 familiar　24 degree　25 career　26 education　27 absence　28 application　29 celebration　30 educated　31 familiarity　32 occupy　33 promote　34 relate　35 unfamiliar　36 encouragement　37 forgiveness　38 achieve　39 attend　40 neglectful

4일

01 혼잡한, 붐비는   02 절망적인, 절박한   03 이국적인, 색다른, 외국의   04 우울한   05 무서운, 두려운

06 역동적인   07 낙관적인   08 외향적인, 사교적인   09 소극적인, 수동적인   10 감상적인, 감정적인

11 심각한, 진지한   12 긴급한, 절박한   13 공손한, 예의 바른   14 풍자, 비꼼, 반어법   15 활기찬, 힘찬; 활발하게, 씩씩

하게   16 성급함, 조바심   17 걱정하는; 갈망하는   18 만족한   19 비판적인; 중대한   20 무관심한   21 active

22 criticize   23 indifference   24 ironic   25 impatient   26 lonely   27 monotonous   28 sarcastic

29 selfish   30 sorrowful   31 timid   32 courageous   33 pessimistic   34 rude   35 loneliness

36 patient   37 static   38 content   39 critic   40 anxiety

5일

01 계약(서); 계약하다   02 비용, 경비; 비용이 들다   03 재정의, 금융상의   04 수입(하다)   05 수입, 소득

06 사치, 사치품   07 제조(하다), 생산(하다)   08 구입, 구매; 구매하다   09 환불(하다)   10 공급(하다)

11 거래, 무역; 거래하다, 사업하다   12 계좌; 설명; 이유; 설명하다   13 수지, 잔고; 균형; 균형을 잡다   14 광고하다

15 신용, 신용 거래; 신용하다   16 화폐, 통화; 유통   17 고용   18 교환(하다)   19 소비자   20 이익; 이익을 얻다

21 interest   22 invest   23 commerce   24 loan   25 production   26 profitable   27 unemploy

28 commercial   29 consumption   30 credible   31 current   32 demand   33 expenditure

34 export   35 incredible   36 luxurious   37 manufacturer   38 unemployment

39 advertisement   40 finance

7일 끝! 정답과 해설

1일 Quiz⁺⁺ 7쪽

해석 1. 홍수로 마을이 물바다가 되었다.
2. 자전거는 온실가스를 배출하지 않는다.

1일 기초 확인 문제 9쪽

A 1. 피해, 손상; 손상시키다 2. 부족, 결핍
3. 습한, 눅눅한 4. 연료; 연료를 공급하다
5. 빙하 6. 파괴 7. 열대의, 열대 지방의
8. 가뭄 9. shortage 10. solar
11. acid 12. source 13. flood 14. tropical
15. destruction 16. damage

B 1. humid 2. damage 3. drought

C 1. tropical 2. destruction
3. solar 4. shortages

C 1. tropical: 열대의, 열대 지방의
humid: 습한, 눅눅한
2. destroy: 파괴하다
destruction: 파괴
3. sun: 태양
solar: 태양의, 태양열을 이용한
4. shorts: 반바지
shortage: 부족

1일 기초 확인 문제 11쪽

A 1. 쓰레기, 폐기물 2. 지키다, 보존하다
3. 유출, 엎지름; 엎지르다 4. 줄이다, 감소시키다
5. 대기, 공기; 분위기 6. 멸종 위기의
7. 구조, 구출; 구조하다 8. 오염, 공해
9. reuse 10. pollution 11. rescuer

12. greenhouse 13. preservation 14. spill
15. reduction 16. ozone

B 1. rescue 2. pollution 3. waste

C 1. endangered 2. spilt
3. preserved 4. Greenhouse

C 1. 멸종 위기의: endangered
2. 엎지르다: spill(수동의 의미이므로 과거분사를 써서 spilt를 쓴다.)
3. 보존되어 왔다: have been preserved(현재완료의 수동: have been+과거분사)
4. 온실가스: greenhouse gas

1일 적중 예상 베스트 12~13쪽

1 ④ **2** ①
3 fuels
4 Acid〔acid〕
5 ② **6** ① **7** ②
8 (A) sources (B) damage (C) greenhouse

1 '_____ 속에 있는 CO_2'에서 빈칸에 올 수 있는 것은 atmosphere이다.
해석 대기 중의 CO_2의 증가로 빙산들이 점차적으로 녹고 있다.
① 지구, 땅 ② 오존 ③ 행성 ④ 대기 ⑤ 쓰레기, 폐기물

2 〈보기〉는 '동사 – 명사'의 관계이고, ①은 '형용사 – 명사'의 관계이다.
〈보기〉 pollute: 오염시키다
pollution: 오염, 공해
① humid: 습한
humidity: 습기(형용사 – 명사 관계)
② destroy: 파괴하다
destruction: 파괴
③ reduce: 줄이다
reduction: 감소
④ construct: 건설하다
construction: 건설
⑤ preserve: 보존하다
preservation: 보존

3 fuel: 연료

source: 원천, 출처, 정보원

[해석] 화석연료를 태우면 탄소 가스가 발생되는데, 이것은 기후에 해로운 영향을 끼친다.

4 acid는 다의어로 '1. 산성의 2. 신맛이 나는 3. 신랄한'의 뜻이 있다.

[해석] (A) 산성비는 농작물, 건물, 야생동물에게 피해를 입힐 수 있다.

(B) 나는 약간 신 과일을 좋아한다.

(C) 탄산음료 안의 산은 소화를 늦추고 영양소의 흡수를 막는다.

5 자연재해에 속하지 않는 것은 ②의 rain이다.

One thing we do is (to) search for and (to) rescue ~에서 search와 rescue는 to부정사가 is의 보어로 쓰일 때 to를 생략하여 원형부정사로 쓰인 것이다.

① flood: 홍수

② rain: 비

③ drought: 가뭄

④ hurricane: 허리케인

⑤ earthquake: 지진

[해석] 우리가 하는 일 한 가지는 홍수(가뭄 / 허리케인 / 지진)와 같은 자연재해 동안에 사람들을 찾고 구조하는 것입니다.

6 ① 태양으로부터 광선을 차단해 주는 것은 오존층이다. '오존층'은 ozone layer이고, oxygen은 '산소'이다.

[해석] ① 산소(→ 오존)층은 태양으로부터 나오는 위험한 광선을 차단해 준다.

② 그들은 높은 소금 함량을 가진 물을 재사용하는 방법을 발견했다.

③ 많은 종의 나무가 지금 도시화로 인해 멸종 위기에 놓여 있다.

④ 우리는 플라스틱 쓰레기를 줄이기 위해 조치를 취해야 한다.

⑤ 기름 유출 상황을 감시하는 것을 돕기 위해 전문가가 보내졌다.

7 ②의 solid fuel은 '고체 연료'라는 뜻이고, '액체 연료'는 liquid fuel을 쓴다.

8 (A) sauce와 source는 혼동하기 쉬운 말이므로 유의한다.

sauce: 소스, 양념

source: 원천, 출처, 정보원

(B) '신경 손상'은 neural damage라고 표현한다.

shortage: 부족, 결핍

damage: 피해, 손상

(C) 온실가스: greenhouse gas

[해석] (A) 이 새로운 기술은 대체 에너지원을 제공할 수 있다.

(B) 그는 신경 손상으로 인해 장애인이 되었다.

(C) 화석 연료는 연소될 때 온실가스를 방출한다.

Quiz⁺ 15쪽

[해석] 1. 그 신문은 대중에게 스캔들을 폭로했다.

2. 폭력 범죄의 증가는 큰 문제이다.

2일 기초 확민 문제 17쪽

A 1. 사회화 2. 협력, 협조 3. 무죄의, 결백한

4. 어기다, 위반하다; 침해하다 5. 관계 6. 벌주다, 처벌하다

7. 범죄, 범행 8. 책임이 있는 9. obey

10. responsibility 11. judge 12. evidence

13. community 14. population 15. relate

16. punishment

B 1. punish 2. responsible 3. crime

C 1. cooperation 2. population

3. evidence 4. innocent

C 1. socialization: 사회화

cooperation: 협력, 협조

2. community: 지역 사회, 공동체

population: 인구, 주민

3. evidence: 증언, 증거

evident: 명백한

4. innocent: 무죄의, 결백한

guilty: 유죄의

2일 기초 확민 문제 19쪽

A 1. 대중; 대중의 2. 다스리다, 통치하다

3. 협상하다, 교섭하다 4. 독립 5. 통일하다, 통합하다

6. 복지, 복리 7. 갈등, 대립, 충돌 8. 외교관

9. security 10. freedom 11. colony

12. agreement 13. government 14. diplomacy

15. independent 16. negotiation

B 1. diplomat 2. conflict 3. unified

C 1. Security 2. freedom 3. colony 4. agreement

C 1. security: 안전, 보안
   welfare: 복지, 복리
2. conflict: 갈등, 대립, 충돌
   freedom: 자유
3. independence: 독립
   colony: 식민지
4. agree: 동의하다
   agreement: 동의, 합의

2일 적중 예상 베스트　20~21쪽

1 ④　2 ⑤
3 community
4 public
5 ②　6 ③　7 ③
8 (A) population (B) relationship

1 respect: 존중하다, 존경하다
  individual: 개인의
  ① life: 인생, 삶
  ② choice: 선택
  ③ opinion: 의견
  ④ conflict: 갈등
  ⑤ freedom: 자유
  해석 우리는 개인의 생활〔선택/의견/자유〕를 존중해야 한다.

2 〈보기〉는 '형용사 – 명사'의 관계이고, ⑤는 '명사 – 명사'의 관계이다.
  〈보기〉 secure: 안전한
  　　　　 security: 안전
  ① responsible: 책임이 있는
     responsibility: 책임
  ② criminal: 범죄의; 범죄자
     crime: 범죄, 범행
  ③ evident: 명백한
     evidence: 증언, 증거
  ④ independent: 독립한
     independence: 독립
  ⑤ diplomacy: 외교(술)
     diplomat: 외교관

3 virtual: (컴퓨터를 이용한) 가상의
  space: 공간
  colony: 식민지
  community: 지역 사회, 공동체
  해석 가상 세계는 거의 실제 세계처럼 보이는 온라인 커뮤니티를 위한 공간이다.

4 public은 명사로는 '대중, 일반 사람들'의 뜻이 있고 형용사로는 '공공의, 대중의; 공적인'의 뜻이 있다.
  해석 (A) 공공 거리에 차를 주차하는 것은 불법이다.
  (B) 버스와 지하철은 일종의 대중 교통수단이다.
  (C) 그 사람들은 대중으로부터 혹독한 비난을 받았다.

5 개인의 권리를 침해하다: violate individual rights
  ① judge: 판단하다, 판정하다
  ② violate: 어기다, 위반하다, 침해하다
  ③ punish: 벌주다, 처벌하다
  ④ secure: 안전하게 하다
  ⑤ negotiate: 협상하다, 교섭하다

6 ③의 diplomat는 '외교관'이고, 법정 출두 지시는 '판사'가 하므로 judge를 써야 한다.
  해석 ① 우리는 때때로 우리의 감정에 의해 지배당한다.
  ② 학교는 개인의 사회화에 큰 역할을 한다.
  ③ 외교관(→ 판사)이 그에게 법정에 출두하라고 지시했다.
  ④ 우리는 아동 복지에 주의를 기울여야 한다.
  ⑤ 우리는 법에 따라 분쟁을 해결해야 한다.

7 ③의 punish는 '벌주다'라는 뜻이고, '상을 주다'는 award a prize를 쓴다.
  해석 ① 서독과 동독은 1991년에 통일되었다.
  ② Sam은 아무 죄가 없었음에도 불구하고, 배심원단은 그가 유죄라고 판결했다.
  ③ 그녀는 어떠한 학생이라도 그 말을 사용한다면 벌을 줄 것이라고 말했다.
  ④ 그는 자유가 신성한 권리라고 생각한다.
  ⑤ 그 나라는 수백 년 전에 식민지였다.

8 (A) '약 1만 명의 인구를 가진 Nauru'에서 '인구'는 population을 쓴다.
     public: 대중, 일반 사람들; 공공의, 대중의; 공적인
     population: 인구, 주민
  (B) 음식과 건강의 '관계'를 뜻하므로 relationship을 쓴다.

cooperation: 협력, 협조

relationship: 관계

해석 (A) 약 1만 명의 인구를 가진 Nauru는 남태평양에서 가장 작은 나라이다.

(B) "먹는 것이 여러분을 만든다." 그 구절은 흔히 여러분이 먹는 음식과 여러분의 신체 건강 사이의 관계를 보여 주기 위해 사용된다.

3일 Quiz⁺₊ 23쪽

해석 1. 겨울은 여러 가지 눈과 얼음 축제의 시기이다.

2. 인상파 전시관은 인기가 아주 좋다.

3일 기초 확인 문제 25쪽

A 1. 다양한 2. 민속의; 민속 음악

3. 정신, 마음, 영혼 4. 바치다, 헌신하다

5. 신성한, 성스러운 6. 유산, 전통 7. 종교, 신조

8. 문명(사회) 9. custom 10. festival

11. faith 12. sacrifice 13. diversity

14. religious 15. civilize 16. dedication

B 1. heritage 2. diverse 3. sacrifice

C 1. custom 2. civilization 3. religion 4. faith

C 1. custom: 관습, 풍습; 습관

festival: 축제; 축제의

2. heritage: 유산, 전통

civilization: 문명(사회)

3. spirit: 정신, 마음, 영혼

religion: 종교, 신조

4. sacrifice: 희생하다; 희생

faith: 신앙심; 믿음, 신뢰

3일 기초 확인 문제 27쪽

A 1. 시각의, 눈에 보이는 2. 건축(술), 건축 양식

3. 전시하다; 전시품 4. 전기

5. 출판하다, 발행하다 6. 작곡가

7. 비평, 평론 8. 문학의 9. sculpture

10. criticize 11. poetry 12. genre

13. vision 14. exhibition 15. autobiography

16. gallery

B 1. visual 2. exhibit 3. publish

C 1. gallery 2. sculptures

3. literary 4. poetry

C 1. genre: 장르, 종류

gallery: 화랑, 미술관

2. composer: 작곡가

sculpture: 조각, 조각품

3. literary: 문학의

literature: 문학

4. poet: 시인

poetry: (집합적) 시

3일 적중 예상 베스트 28~29쪽

1 ① 2 ⑤

3 published

4 custom (Custom)

5 ③ 6 ② 7 ①

8 (A) civilize (B) poetry (C) architecture

1 ① sculptures: 조각품들

② galleries: 화랑들

③ heritages: 유산들

④ customs: 관습들

⑤ architectures: 건축(물)들

해석 그 벽들은 성경 속 사건들을 묘사하는 조각품들로 장식되어 있다.

2 〈보기〉는 '명사 - 형용사' 관계이다. ⑤는 '명사 - 동사'의 관계로 〈보기〉와 다르다.

〈보기〉 vision: 시각, 시력; 통찰력

visual: 시각의, 눈에 보이는

① spirit: 정신, 마음, 영혼

spiritual: 정신의, 정신적인

② literature: 문학

　literary: 문학의

③ religion: 종교, 신조

　religious: 종교의, 독실한

④ faith: 신앙심; 믿음, 신뢰

　faithful: 충실한, 신뢰할 만한

⑤ exhibition: 전시회, 전시

　exhibit: 진열하다, 전시하다

　(명사 – 동사 관계)

3 punish: 벌주다

publish: 출판하다, 발행하다

[해석] 비타민 B12에 관한 그녀의 저작물은 1954년에 발행되었는데, 이는 그녀가 1964년에 Nobel 화학상을 받는 것으로 이어졌다.

4 custom은 다의어로 여러 가지의 뜻이 있다.

1. 관습, 풍습

2. 습관

3. (-s) 세관

[해석] (A) 크리스마스 나무를 세우는 관습은 독일에서 유래했다.

(B) 그는 습관대로 문을 세 번 노크했다.

(C) 세관 직원들이 그 남자를 경찰에 넘겼다.

5 전기(일대기)와 자서전(자신이 직접 저술한 일대기)의 차이에 유의한다.

① architect: 건축가

② composer: 작곡가

③ biography: 전기

④ literature: 문학

⑤ autobiography: 자서전

6 ② criticize는 동사이므로 명사인 criticism을 써야 한다.

[해석] ① 이 뮤지컬은 힙합과 오페라의 결합 장르의 한 사례이다.

② 난 너의 끝도 없는 비난에 신물 나 죽겠어.

③ 고대 사람들은 그 산을 성스러운 장소로 여겼다.

④ 사건은 법정으로 갔고, 작곡가들은 항소심에서 이겼다.

⑤ 그는 나에게 학교 축제에 참가해 달라고 부탁했다.

7 ①의 sacrifice는 '희생하다'는 뜻이고, '만족시키다'는 satisfy를 쓴다.

[해석] ① 그에게 자신을 희생하도록 강요하지 마라.

② 용인에 있는 민속촌은 최고의 관광 명소이다.

③ 그녀는 그 비판을 조용히 품위 있게 받아들였다.

④ 당신은 여행하는 동안에 다양한 문화권 출신의 사람들을 만날 수 있다.

⑤ 그녀는 학생들을 돕는 데 매우 헌신적이어서, 심지어 주말에도 일했다.

8 (A) civilize: 문명화하다, 교화하다 / civilized: 문명화된, 개화된

(B) poet: 시인 / poetry: 시

(C) architect: 건축가 / architecture: 건축

[해석] (A) 그들은 원주민들을 교화할 필요가 있다고 믿었다.

(B) 대부분의 시는 번역이 잘 안 된다.

(C) Wharton은 또한 건축에 매우 큰 애정이 있었고, 그녀는 자신의 첫 번째 실제 집을 설계하여 건축했다.

4일 Quiz+ 　31쪽

[해석] **1.** 그들은 여정의 마지막 단계를 시작했다.

2. 근육의 긴장을 완전히 풀도록 해라.

4일 기초 확인 문제 　33쪽

A 1. 목적지, 도착지 2. 예약; 보류

3. 모험 4. 지연; 지연시키다

5. 경치, 풍경 6. 관광

7. 휴양지; 의지; 의지하다 8. 여권

9. flight 10. journey 11. visa

12. souvenir 13. accommodation

14. scenic 15. reserve 16. accommodate

B 1. delay 2. journey 3. destination

C 1. flight 2. reservation

3. scenery 4. accommodation

C 1. flight: 항공편; 비행; 도주

　visa: 비자, 사증(출입국 허가증)

2. destination: 목적지, 도착지

　reservation: 예약; 보류

3. scenic: 경치가 좋은
   scenery: 경치, 풍경
4. resort: 휴양지; 의지; 의지하다
   accommodation: 숙박 시설; 편의

4일 기초 확인 문제 35쪽

A 1. 휴식을 취하다, 긴장을 풀다 2. 여가; 틈
3. 경향, 추세 4. 패배; 패배시키다
5. 경쟁, 대회 6. 상대, 적수; 반대의
7. 전문적인; 전문직 종사자 8. 운동선수, 경기자
9. compete 10. oppose 11. cheer
12. fashion 13. entertainment 14. victory
15. competitive 16. magazine

B 1. magazine 2. relax 3. professional

C 1. entertainment 2. fashion
3. cheers 4. victory

C 1. leisure: 여가, 틈
   entertainment: 연예, 오락물
2. fashion: 유행, 인기, 패션
   magazine: 잡지
3. competition: 경쟁, 대회
   cheer: 환호, 응원; 응원하다
4. defeat: 패배; 패배시키다
   victory: 승리

4일 적중 예상 베스트 36~37쪽

1 ③ 2 ②
3 opponent
4 (A) delayed (B) delay (C) delaying
5 ③ 6 ④ 7 ⑤
8 (A) Reservations (B) leisure (C) defeat

1 trend는 '경향, 추세, 유행'의 의미이다.
   ① cheer: 환호

② delay: 지연; 미루다
③ tendency: 경향
④ souvenir: 기념품, 선물
⑤ leisure: 여가, 틈
해석 요즘은 결혼을 늦게 하는 추세다.

2 〈보기〉는 '동사 – 명사'의 관계이나 ②는 둘 다 명사이다.
   〈보기〉 reserve: 예약하다, 보류하다
           reservation: 예약
   ① relax: 긴장을 풀다
      relaxation: 휴식
   ② destiny: 운명, 숙명
      destination: 목적지
   ③ compete: 경쟁하다
      competition: 경쟁
   ④ entertain: 즐겁게 해 주다
      entertainment: 연예, 오락물
   ⑤ accommodate: 편의를 제공하다
      accommodation: 숙박 시설, 편의

3 경기에서 게임 상대에 대한 설명이므로 opponent가 알맞다.
   athlete: 운동선수, 경기자
   opponent 상대, 적수
   해석 세 번째 경기는 좀 더 어려웠는데, 어느 정도 시간이 지난 뒤 그의 상대는 조급해졌고 서둘러 공격했다. 소년은 그의 한 가지 동작을 능숙하게 사용했고 경기에서 이겼다.

4 (A) 동사로 '지연되다, 연착되다'의 뜻이고 수동태이므로 'be+ 과거분사'로 쓴다.
   (B) without delay: 지체 없이
   (C) 보행자들이 구급차를 막고 도착을 지연시켰으므로 능동, 진행 의미의 현재분사를 쓴다.
   해석 (A) 내 계획과는 반대로, 비행기가 연착되었다.
   (B) 이 일을 지체 없이 끝냈으면 좋겠다.
   (C) 몇몇 보행자들이 길을 막아 구급차의 도착을 지연시켰다.

5 fright와 flight는 혼동하기 쉬운 어휘이므로 유의한다.
   ① fright: 공포
   ② athlete: 운동선수, 경기자
   ③ flight: 항공편; 비행; 도주
   ④ resort: 휴양지; 의지; 의지하다
   ⑤ accommodation: 숙박 시설, 편의

6 sightsee는 동사로 '관광 여행하다'의 뜻이다. trip의 목적을 설명하는 명사 sightseeing을 써야 한다.

해석 ① 내 여동생은 유행에 지나치게 민감하다.
② 그녀는 전문 사진작가이다.
③ 이것은 정말 짜릿한 승리였다.
④ 나의 가족은 로마로 관광 여행을 갔다.
⑤ Mark Twain은 〈톰 소여의 모험〉의 작가이다.

7 대사관에서 신청하는 것은 출입국 허가증인 '비자, 사증'이다.

해석 ① 두 형제가 여행을 갔다.
② 나는 잡지에서 그 조언을 읽었다.
③ 그녀는 여권을 찾아봤지만 허사였다.
④ 화산들은 환상적인 경치로 관광객들을 끌어들인다.
⑤ 나는 비자를 신청하기 위해 대사관에 갈 것이다.

8 (A) '예약'은 취소될 수 있지만 '목적지'는 취소되기보다는 바뀐다는 표현이 더 자연스럽다.
reservation: 예약; 보류
destination: 목적지, 도착지
(B) leisure activity는 복합명사로 '여가 활동'의 뜻이다.
leisure: 여가, 틈
leisurely: 느긋하게
(C) or의 앞뒤에 오는 말은 대구되는 말이 오는 것이 자연스러우므로 victory의 반의어인 defeat가 자연스럽다.
competition: 경쟁
defeat: 패배; 패배시키다

해석 (A) 예약은 예고 없이 취소될 수 있다.
(B) 우리는 주말에 여가 활동을 즐긴다.
(C) 때로는 승리나 패배보다 더 중요한 것이 있다.

Quiz⁺ 39쪽

해석 **1.** 과학적 발견은 세상을 보다 나은 쪽으로 변화시켜 왔다.
2. 그 질병에는 유전적 요소가 있을 것 같다.

5일 기초 확인 문제 41쪽

A 1. 혼합(물) 2. 분자
3. 증기; 증발하다 4. 화학 물질; 화학의

5. 탐험하다, 탐색하다 6. 과학의, 과학적인
7. 실험실, 실습실 8. 망원경
9. theory 10. liquid 11. matter
12. discovery 13. atom 14. solid
15. mix 16. exploration

B 1. mixture 2. explore 3. scientific

C 1. vapor 2. discovery
3. chemical 4. telescope

C 1. vapor: 증기; 증발하다
molecule: 분자
2. discover: 발견하다
discovery: 발견
3. chemical: 화학 물질; 화학의
chemistry: 화학
4. microscope: 현미경
telescope: 망원경

5일 기초 확인 문제 43쪽

A 1. 효율(성); 능률 2. 복제 생물; 복제하다
3. 변형 4. 분류하다 5. 전송하다
6. 분석하다 7. 접근; 접근하다
8. 자동의; 자동 장치 9. device 10. e-commerce
11. engineering 12. genetic 13. electric
14. efficient 15. classification 16. transmission

B 1. classified 2. device 3. analyzed

C 1. clone 2. electric
3. transformation 4. e-commerce

C 1. clone: 복제 생물; 복제하다
device: 장치, 기기; 방책
2. electric: 전기의
electricity: 전기
3. transform: 변형시키다
transformation: 변형

4. commerce: 상업, 무역
   e-commerce: 전자 상거래

5일 적중 예상 베스트

1 ④　**2** ②
3 analyzing, explaining
4 matter
5 laboratory
6 ④　**7** ③
8 (A) transmit　(B) scientific　(C) molecule

1 Micronesia인, Polynesia인, Melanesia인이 혼합체라는 뜻이므로 mixture가 알맞다.
native people: 원주민
consist of: ~로 이루어지다
tribe: 부족, 종족
symbolized: 상징화된
① theory: 이론
② access: 접근; 접근하다
③ discovery: 발견
④ mixture: 혼합(물)
⑤ device: 장치, 기기; 방법, 방책
해석 Nauru 국기에 있는 12개의 꼭짓점을 가진 별이 상징하듯이 Nauru 원주민은 12개의 부족으로 이루어져 있으며, 이들은 Micronesia인, Polynesia인, Melanesia인이 혼합된 것으로 여겨진다.

2 〈보기〉와 ②는 '반의어' 관계이다.
[보기]　liquid: 액체
　　　　solid: 고체
① shortage: 부족
　mixture: 혼합(물)
② theory: 이론
　practice: 실제 (반의어 관계)
③ automatic: 자동의
　genetic: 유전자의
④ efficiency: 효율
　engineering: 공학
⑤ vapor: 증발하다
　evaporate: 증발하다 (유의어 관계)

3 '~에 능숙하다'는 be good at을 쓰고, 전치사 at 뒤에는 명사나 동명사가 와야 하므로 analyzing과 explaining이 온다.

4 matter는 다의어로 명사와 동사의 뜻이 있다.
몡 1. 물질, 재료 2. 문제, 일
통 중요하다
해석 (A) 실패로부터 배우는 것은 정말로 중요한 것이다.
(B) 그는 그 문제를 다시 언급하지 않기로 약속했다.
(C) 원자의 재배열은 물질의 속성을 바꿀 수 있다.

5 exploration: 탐험
laboratory: 실험실(lab)

6 ④ '전기 자동차'는 electric car이고, electricity는 명사로 '전기, 전력'의 뜻이다.
해석 ① 실천은 이론보다 낫다. (속담)
② 그들은 안내원과 함께 피라미드를 탐험했다.
③ 담배에 들어있는 화학 성분은 노화 과정을 촉진한다.
④ 나는 사람들이 전기 자동차로 바꾸도록 설득할 것이다.
⑤ 우리는 그 문화의 변형을 추구해야 한다.

7 commerce는 '상업, 무역'이라는 뜻이고 여기에 electronic의 줄임말인 e-를 붙인 e-commerce는 '전자 상거래'라는 뜻으로 쓰인다.
해석 ① 장르는 우리가 다양한 유형의 영화를 분류하는 데 도움이 된다.
② 모든 객실에서 인터넷 접속이 가능하다.
③ 오늘날 사업 문화에서 뜨거운 화제가 전자 상거래이다.
④ 이 별은 망원경 없이도 관측된다.
⑤ 수은은 상온에서 액체 상태로 존재한다.

8 (A) receive(받다, 수신하다) 뒤에 but이 나오므로 대구가 되는 말인 transmit(전송하다)가 와야 한다.
　　transmit: 전송하다
　　transform: 변형하다
(B) 명사를 수식하는 형용사인 scientific을 쓴다.
　　science: 과학
　　scientific: 과학의, 과학적인
(C) 원자들로 구성되는 것은 분자이므로 molecule을 쓴다.
　　atom: 원자
　　molecule: 분자
해석 (A) 우리는 수신할 수 있지만 전송할 수는 없다.
(B) 20세기에는 많은 과학적 발견이 있었다.
(C) 물의 분자는 수소 2와 산소 1의 원자로 구성되어 있다.

누구나 100점 테스트 1회

46~47쪽

1 ① **2** ⑤ **3** ②

4 tropical

5 (A) 온실효과 (B) 화석연료 (C) 대기 (D) 온실가스

6 ③

7 responsible

8 ⑤ **9** ①

10 disagreement, conflict, relationship

1 〈보기〉는 '파괴하다 – 건설하다'는 뜻의 '반의어' 관계이고 ①은 '유의어' 관계이다.
① save: 구하다
rescue: 구조하다
② obey: 준수하다
violate: 위반하다
③ preserve: 보존하다
destroy: 파괴하다
④ guilty: 유죄의
innocent: 무죄의
⑤ dependence: 의존
independence: 독립

2 ① unclear: 확실하지 않은
② unknown: 알려지지 않은
③ reusing: 재사용하는
④ surprising: 놀랄 만한
⑤ evident: 분명한, 명백한
해석 누구든 그가 이 회사의 데이터 보안에 책임이 있다는 것을 알 것이다.
= 그가 이 회사의 데이터 보안에 책임이 있다는 것은 분명하다.

3 ① 오염: pollution
② 부족: shortage
③ 파괴: destruction
④ 출처: source
⑤ 감소: reduction
해석 물 위기는 물 부족이 아니라 오용과 남용으로 인한 깨끗한 물의 부족이다.

4 tropical island: 열대 섬
for a month: 한 달 간
해석 나는 한 달 간 열대 섬으로 휴가를 가려고 한다.

5 human activity: 인간의 활동
coal: 석탄
carbon dioxide: 이산화탄소
observe: 관찰하다
amount: 양
cause: ~의 원인이 되다
trap: 가두다
해석 인간의 활동이 지구의 자연적인 온실효과를 변화시키고 있다. 석탄이나 석유와 같은 화석연료를 태우는 것은 더 많은 이산화탄소를 우리의 대기로 배출한다. NASA는 대기 중에 이산화탄소와 다른 온실가스의 양이 증가하는 것을 관찰해 왔다. 너무 많은 이 온실가스는 지구의 대기로 하여금 점점 더 많은 열을 가두게 할 수 있다. 이것은 지구가 따뜻해지는 원인이 된다.

6 ① obey: 지키다, 준수하다
② commit: 저지르다
③ cooperate: 협조하다, 협력하다
④ judge: 판사, 심판; 판단하다
⑤ sacrifice: 희생
해석 1. 특정한 목표를 위해 누군가와 함께 일하다
2. 누군가 당신에게 요청하거나 하라고 말한 것을 하다

7 responsibility: 책임
be responsible for: ~할 책임이 있다
해석 관리자의 책임은 조직의 목적에 맞는 목표를 설정하는 것이다.
= 관리자는 조직의 목적에 맞는 목표를 설정할 책임이 있다.

8 ① criminal: 범죄의; 범죄자
② colonial: 식민지의
③ related: 연관된, 관계가 있는
④ civilized: 개화된
⑤ unified: 통합된

9 a security camera: 보안 카메라
① 안전, 보안 ② 사적인 ③ 공공의 ④ 신성한 ⑤ 복지
해석 이 보안 카메라로 당신의 집을 지키세요!
– 원격 접속 – 쉬운 설치
– 적외선 야간 시야 기능

10 의견 불일치: disagreement
갈등: conflict
관계: relationship
해석 부모와 자녀, 직원과 고용주, 그리고 부부가 의견, 가치, 목표에 차이가 있을 때 의견 불일치가 일어날 수 있다. 많은 공통적인 상황들이 개인적인 관계에서 의견 불일치와 갈등의 원인이 될 수 있다.

6일 ▼ 누구나 100점 테스트 2회

48~49쪽

1 ④   **2** ①   **3** ④

4 sculpture, exhibition, athlete

5 ⑤   **6** ⑤

7 criticism

8 ③   **9** Paris   **10** ②

---

1 ④는 '반의어' 관계이고, 나머지는 '유의어' 관계이다.
① diverse: 다양한
   various: 다양한
② dedicate: 헌신하다
   devote: 헌신하다
③ opponent: 적
   enemy: 적
④ defeat: 패배
   triumph: 승리
⑤ access: 접근하다
   approach: 접근하다

2 matter는 다의어로 여러 가지의 뜻이 있다.
1. 문제 2. 물질 3. 중요하다
① matter: 문제; 물질; 중요하다
② access: 접근; 접근하다
③ genre: 장르
④ flight: 비행기, 항공편; 도주
⑤ compete: 경쟁하다
[해석] • 가끔은 팀 충성도가 중요하다.
• 그들이 결혼하는 것은 시간문제이다.

3 ① sightseeing: 관광
② journey: 긴 여행
③ adventure: 모험
④ passport: 여권
⑤ souvenir: 기념품, 선물
[해석] 해외여행을 가기 전에 여권의 유효 기간을 꼭 확인해라.

4 athlete: 운동선수
architect: 건축가
exhibition: 전시
sculpture: 조각

5 discovery는 '승리'가 아니라 '발견'이다. '승리'는 victory이다.
[해석] Amos와 나는 우리가 함께 실험실에서 일하는 것을 즐긴다는 것을 발견했다. Amos는 더 논리적이고 과학적인 사상가였고 이론에 초점을 맞췄다. Amos는 나보다 내 막연한 생각의 요점을 훨씬 더 분명하게 본 적이 많았다. 14년 동안 우리의 협력은 우리 삶의 초점이었다. 그리고 우리가 함께 한 일은 우리 둘 중 어느 누가 한 것 중에도 가장 훌륭한 발견이었다.

6 leisure(여가)에 대한 영영풀이이다.
① victory: 승리
② trend: 경향, 추세, 유행
③ amateur: 아마추어(↔ professional)
④ cheer: 환호, 응원; 응원하다
⑤ leisure: 여가
[해석] 일을 하지 않고 휴식을 취하며 즐기는 것들을 하는 시간

7 criticize의 명사 형태는 criticism(비판)이다.
[해석] 우리가 비판을 얼마나 잘 받아들이느냐는 그 전달자와의 관계에 따라 달라질 수 있다.

8 ① poetry: (집합적) 시
② architect: 건축가
③ composer: 작곡가
④ literature: 문학
⑤ composition: 작문, 작곡

9 destination이 '도착지'라는 뜻이므로 빈칸에 알맞은 말은 Paris이다.

10 I apologize ~, Therefore, the delay occurred.와 같은 표현을 통해 배송 지연에 대해 사과하려는 목적임을 알 수 있다.
apologize: 사과하다
receive the package: 소포를 받다
as expected: 예상했던 대로
an enormous amount of orders: 엄청난 양의 주문
equal priority: 동등한 우선순위
delay: 지연
occur: 발생하다
inconvenience: 불편
[해석] 친애하는 Anderson 씨께
예상대로 소포를 받지 못한 점 사과드립니다. 우리는 엄청난 양의 주문을 받아왔고, 매번 동등한 우선순위로 서비스하는 것은 끔찍한 시기였습니다. 그래서 지연이 발생하였습니다. 이러한 사례를 줄이기

위해 우리는 새로운 직원을 고용하기 시작했습니다. 불편을 끼쳐 드린 점 다시 한 번 사과드립니다.

진심으로, Wendy Wood가

6일 참의·융합·서술·코딩 테스트 1회 50~51쪽

Ⓐ **1** diverse
2 guilty
3 diplomat

Ⓑ **1** oil spill **2** flood
3 Acid rain **4** drought

Ⓒ **1** walks everywhere
2 uses a reusable bottle
3 uses his own cloth bag
4 separates recyclable waste

Ⓐ [해석] **1** 그 공연은 다양한 관객을 끌어 모았다.
2 보통, 우리는 규칙을 어길 때 죄책감을 느낀다.
3 그는 평생 외교관으로서 미국을 위해 봉사했다.

Ⓑ [해석] **1** 유조선이 해상에서 사고를 당했을 때 가끔 기름 유출 사고가 발생한다.
2 홍수가 발생하면 다량의 물이 평상시에는 건조한 지역을 덮는다.
3 산성비는 공장에서 대기 중으로 배출된 산에 의해 오염된 비를 말한다.
4 가뭄은 비가 내리지 않는 긴 기간이다.

Ⓒ [해석] **1** 미나는 대기오염을 막기 위해 어디든 걸어서 간다.
2 지희는 플라스틱 병 대신 재사용 가능한 병을 사용한다.
3 지훈은 쓰레기를 줄이기 위해 자신의 천 가방을 사용한다.
4 민우는 환경보호를 위해 재활용 쓰레기를 분리한다.

6일 참의·융합·서술·코딩 테스트 2회 52~53쪽

Ⓐ **1** explore issues, genetic engineering, cloned
2 transmission, e-commerce, security

Ⓑ **1** (A) flight (B) delayed
2 (A) opponent (B) defeat

Ⓒ **1** telescope
2 liquid
3 classifying

Ⓑ [해석] **1** 그들은 비행기가 연착될 것이라고 방송했다. 그들은 출발 지연에 대해 사과했다.
2 절대로 상대를 과소평가하지 마라, 그렇지 않으면 패배를 맞닥뜨릴 것이다.

Ⓒ [해석] **1** 그는 망원경을 통해 별을 보고 있다.
2 그녀는 노란 액체를 싱크대에 붓고 있다.
3 그 소년은 자신의 장난감을 두 가지로 분류하고 있다.

7일 학교 시험 기본 테스트 1회 54~57쪽

1 ① **2** ② **3** ⑤
4 pollution
5 ⑤ **6** ④ **7** ① **8** ①
9 drought
10 ④
11 solar energy
12 Freedom
13 ⑤ **14** ① **15** ②
16 ② **17** ④
18 be responsible for the negative impacts
19 ⑤ **20** ②

1 diversity: 다양성(= variety)
① variety: 다양성
② degree: 학위; (온도계의) 도; 정도
③ range: 범위
④ reduction: 감소
⑤ colony: 식민지
[해석] 팀이 커질수록 다양성에 대한 더 많은 가능성이 존재한다.

2 rescue: 구조하다(= save)
① relate: 관련시키다
② save: 구하다; 저축하다
③ obey: 지키다, 준수하다
④ relax: 긴장을 풀다
⑤ spill: 엎지르다
[해석] 그 소방관은 나를 화재에서 구조하려고 노력했다.

3 gather: 모으다
emergency supply: 비상 용품
unplug: 코드를 뽑다

electrical appliance: 전기 장치

해설 홍수 발생 시 해야 할 일은 다음과 같습니다.
− 비상 용품을 모으세요.
− 전기 장치의 플러그를 뽑으세요.
− 침수된 도로를 운전하거나 걸어 다니지 마세요.
− 현지 라디오 또는 TV 업데이트를 따르세요.

4 air pollution: 대기 오염
worsening: 악화
asthma symptom: 천식 증상

해설 대기 오염이 천식 증상의 악화와 관련이 있다는 연구 결과가 나왔다.

5 threat: 위협
face: 직면하다
widespread destruction: 광범위한 파괴
habitat: 서식지
wildlife: 야생동물
logging: 벌목
oil and gas drilling: 석유 및 가스 시추
over-grazing: 과잉 방목
result in: ~를 초래하다
minimize: 최소화하다
(A) dangerous: 위험한
  endangered: 멸종 위기의
(B) destruction: 파괴
  construction: 건설
(C) preserved: 보존된
  reserved: 예약한; 보류한; 소심한

해설 아마도 많은 종들이 직면하고 있는 가장 큰 위협은 서식지의 광범위한 파괴일 것이다. 과학자들은 멸종 위기 종을 보호하는 가장 좋은 방법은 그들이 사는 특별한 장소를 보호하는 것이라고 말한다. 야생동물은 먹이를 찾고, 피난처를 마련하고, 새끼를 키울 수 있는 장소가 있어야 한다. 벌목, 석유 및 가스 시추, 과잉 방목 및 개발은 모두 서식지 파괴를 초래한다. 멸종 위기 종 서식지는 보존되어야 하며 이러한 영향은 최소화되어야 한다.

6 ④ secure: 안전하게 하다(= make safe)
① civilize: 개화하다
② destroy: 파괴하다
③ devote: 헌신하다
⑤ construct: 건설하다

해설 군대는 이 지역을 피해나 공격으로부터 안전하게 만들었다.

7 〈보기〉는 '동사와 명사'의 관계이므로, ①의 단어와 관계가 같다.
〈보기〉 unify: 통일하다 − unification: 통일
① negotiate: 협상하다 − negotiation: 협상
  → 동사와 명사 관계
② free: 자유로운, 무료의 − freely: 자유롭게
  → 형용사와 부사 관계
③ diplomat: 외교관 − diplomacy: 외교(술)
  → 명사와 명사 관계
④ faith: 신앙심, 믿음 − faithful: 충실한
  → 명사와 형용사 관계
⑤ spirit: 정신 − spiritual: 정신의
  → 명사와 형용사 관계

8 environmental footprint: 환경 발자국
① reduce: 줄이다
② reduction: 감소
③ pollute: 오염시키다
④ pollution: 오염, 공해
⑤ increase: 증가하다

해설 환경 발자국을 줄이는 것이 당신의 목표라면, 오늘 밤 퇴근 버스를 타고 집에 가는 것만으로는 충분하지 않다. 당신은 오늘, 내일, 그리고 미래에도 그렇게 해야 한다.

9 suffering from : ~으로 고통 받다
severe: 심한

해설 그들은 극심한 가뭄에 시달리고 있고, 물이 말라 버렸다.

10 미덕은 중간 지점에 있다는 내용의 글로, ④에서 부족과 과잉을 둘 다 피하는(avoid) 것이 최상이라는 내용이 되어야 문맥상 자연스럽다.
① excess: 지나침, 과도
② balance: 균형
③ reckless: 무모한
④ accept: 받아들이다
⑤ midpoint: 중간 지점

해설 인생의 거의 모든 것에는, 좋은 것에도 지나침이 있을 수 있다. 심지어 인생에서 최상의 것도 지나치면 그리 좋지 않다. 이 개념은 적어도 아리스토텔레스 시대만큼 오래전부터 논의되어 왔다. 그는 미덕이 있다는 것은 균형을 찾는 것을 의미한다고 주장했다. 예를 들어, 사람들은 용감해져야 하지만, 만약 어떤 사람이 너무 용감하다면 그 사람은 무모해진다. 사람들은 (타인을) 신뢰해야 하지만, 만약 어떤 사람이 (타인을) 너무 신뢰한다면 그들은 잘 속아 넘어가는 사람으로 여겨진다. 이러한 각각의 특성에 있어, 부족과 과잉 둘 다를 받아들이

는(→ 피하는) 것이 최상이다. 아리스토텔레스는 미덕이 중간 지점에 있다고 말한다.

11 solar energy: 태양 에너지

12 freedom: 자유
encourage: 장려하다, 북돋우다
positive culture: 긍정적인 문화

13 ⑤ innocent는 '무죄의; 순진한'이라는 뜻이고, '유죄의'는 guilty이다.
[해석] ① 나는 지역 주민회관에서 미술 수업을 듣는다.
② 희생은 종종 인생에서 당신의 성공 수준을 결정한다.
③ 두 집단은 서로 협력하는 데 동의했다.
④ 정직은 관계에 있어서 신뢰의 기반이다.
⑤ 배심원들은 그가 무죄라는 것을 확신하지 못했다.

14 우유가 엎질러진 것으로 보아 spilt를 쓸 수 있다.
[해석] W: 오, 안 돼! 카펫에 우유를 쏟았어!
M: 걱정 마. 내가 도와줄게. 수건이랑 베이킹 소다 있어?
W: 물론이지. 지금 바로 가져올게.

15 manage: 관리하다
resolve: 해결하다
clarify: 명확하게 하다
solution: 해결책
resolution: 결의, 결단
[해석] 직장에서 갈등을 관리하고 해결하는 방법
• 갈등의 근원을 명확히 하라.
• 안전하고 사적인 대화 장소를 찾아라.
• 적극적으로 경청하고 모든 사람이 발언할 수 있도록 하라.
• 최선의 해결책에 합의하고 각 당사자가 결의안에서 책임져야 할 사항을 결정하라.

16 socialization(사회화)에 대한 영영풀이이다.
① 위반 ③ 증거 ④ 인구 ⑤ 벌
[해석] 사람들, 특히 아이들이 그들의 문화나 사회에서 받아들일 수 있는 방식으로 행동하도록 만들어지는 과정

17 government(정부)에 대한 영영풀이이다.
① 통일 ② 부서 ③ 동의 ⑤ 조직
[해석] 국가를 통치할 책임이 있는 사람들의 집단

18 ~에 책임이 있다: be responsible for

19 태풍으로 마을이 피해를 입은 상황이므로 damage를 사용하여 수동 완료형 has been damaged로 표현한다.
[해석] ① 산성비가 건물을 파괴했다.
② 습한 공기가 건강 문제를 일으켰다.
③ 그들은 물 부족으로 고통 받고 있다.
④ 빙하가 작은 마을을 위협하고 있다.
⑤ 그 마을은 태풍으로 피해를 입었다.

20 (A) crime: 범죄
criminal: 범죄의; 범죄자
(B) popularity: 인기
population: 인구, 주민
(C) evident: 명백한
evidence: 증언, 증거
[해석] (A) 그는 자신의 범죄에 대한 처벌을 받아야 마땅하다.
(B) 그 질병은 그 나라 인구의 3분의 1에게 영향을 미쳤다.
(C) 그 주장을 반박할 충분한 증거가 있다.

7일 **학교 시험 기본 테스트 2회** 58~61쪽

1 ① **2** ③ **3** ①
4 criticism
5 ⑤ **6** ④ **7** ① **8** ①
9 sightseeing
10 (A) destination (B) accommodations (C) adventure
11 souvenir **12** scenery
13 ① **14** ⑤ **15** ⑤ **16** ③ **17** ④
18 Data can be transmitted
19 Heritage, reservation
20 ⑤

1 delay는 '지연시키다'라는 의미로 postpone과 의미가 유사하다.
① postpone: 연기하다
② compose: 작곡하다
③ publish: 발행하다, 출판하다
④ sacrifice: 희생하다
⑤ negotiate: 협상하다
[해석] 비가 와서 경기가 지연되었다.

2 ① spirit: 정신

② custom: 관습; 습관; 세관

③ festival: 축제

④ religion: 종교

⑤ exhibition: 전시

3 해석 ① 공원에 조각품이 전시되어 있다.

② 건축물의 일부가 손상되어 있다.

③ 사람들이 도시에 건물을 짓고 있다.

④ 거리에서 사람들이 민속음악을 연주하고 있다.

⑤ 정원에서 종교 의식이 진행되고 있다.

4 criticize: 비판하다

criticism: 비판, 비평

해석 우리는 아무 말도 하지 않고, 아무 일도 하지 않고, 아무것도 되지 않음으로써 비판을 피할 수 있다.

5 소년들은 두 그룹으로 나뉘어서 경쟁을 하게 된 상황이므로 ⑤에 competitive(경쟁적인)가 오는 것이 문맥상 적절하다.

stranger: 이방인, 낯선 사람

one another: 서로

randomly: 무작위로

look down on: ~을 얕잡아 보다

condition: 상황, 조건

boundary: 경계

① divided: 나누었다

② athletic: 운동선수의, 운동경기의

③ enemy: 적

④ fights: 싸움들

해석 연구자들은 두 그룹의 11세 소년들을 Oklahoma에 있는 Robbers Cave 주립 공원의 여름 캠프에 데려왔다. 그 소년들은 서로 몰랐다. 그들은 무작위로 두 그룹으로 나뉘어져서 약 1주일 동안 서로 떨어져 있었다. 그들은 수영하고, 야영하고, 하이킹을 했다. 각 그룹은 자기 그룹의 이름을 지었고, 소년들은 자신의 그룹 이름을 모자와 티셔츠에 새겼다. 그 후 두 그룹이 만났다. 그들 사이에 일련의 운동 시합이 마련되었다. 곧, 각 그룹은 서로를 적으로 여겼다. 각 그룹은 서로를 얕잡아 보게 되었다. 소년들은 먹을 것을 가지고 싸우기 시작하고 상대 그룹의 구성원으로부터 여러 물건을 훔쳤다. 그래서 협조하는(→ 경쟁적인) 환경에서 소년들은 재빨리 뚜렷한 그룹 경계를 그었다.

6 disagree: 동의하지 않다(= oppose)

① publish: 발행하다, 출판하다

② resort: 휴양지; 의지; 의지하다

③ approve: 찬성하다

④ oppose: 반대하다

⑤ accommodate: 편의를 제공하다

해석 아무도 새 프로젝트에 반대하지 않을 것이다.

7 ① automatic: 자동적인

② genetic: 유전의, 유전적인

③ engineering: 공학

④ electric: 전기의

⑤ chemical: 화학 물질; 화학의

해석 호흡 조절은 잠들거나 깨어 있을 때 의식적인 개입 없이 작동하는 자동적인 과정이다.

8 ① access: 접근하다

② excess: 지나침, 과잉

③ accessible: 접근 가능한, 이해하기 쉬운

④ reduce: 줄이다

⑤ compete: 경쟁하다

해석 인터넷은 많은 무료 정보에 접근할 수 있게 해 주었다.

9 go sightseeing: 관광 가다

해석 나는 런던으로 관광을 가서 2층 버스를 탈 예정이다.

10 (A) destiny: 운명, 숙명

destination: 목적지

(B) accommodate: 편의를 제공하다

accommodation: 숙소

(C) adventure: 모험

adventurous: 모험을 좋아하는, 모험적인

해석 (A) 그는 전화 통화를 하다가 목적지를 지나쳤다.

(B) 이용 가능한 숙소가 있는지 반드시 확인해 보세요.

(C) 어린아이일 때는 삶이 하나의 큰 모험이다.

11 souvenir: 기념품

12 scenery: 풍경, 경치

13 flight attendant, flight time 등의 표현을 통해 기내 안내방송임을 알 수 있다.

해석 M: 신사 숙녀 여러분, 저는 Adams입니다. 저는 수석 승무원입니다. 저희 비행 시간은 3시간 40분입니다. 휴대용 전자 기기를 '비행기' 모드로 설정하십시오. 감사합니다.

14 ① trend: 추세, 유행

② activity: 활동, 행동

③ triumph: 승리

④ amateur: 아마추어

⑤ leisure: 여가

해석 그것은 종종 경험의 질이나 자유 시간으로 정의되어 왔으며, 사업, 일, 집안일, 교육에서 벗어나서 시간을 보내게 된다.

15 인간이 꼬리 때문에 앉아 있을 수 없어서 싫어했다고 했으므로, ⑤는 inconvenient(불편한)로 바꾸는 것이 문맥상 자연스럽다.

① defeat: 패배시키다

② resting place: 안식처

③ forgot: 잊었다

④ matter: 문제

⑤ convenient: 편안한

해석 Moinee라는 신이 별들에서 벌어진 끔찍한 전투에서 경쟁하는 신 Dromerdeener라는 신에게 패배했다. Moinee는 별에서 Tasmania로 떨어져 죽었다. 죽기 전에 그는 최후의 안식처에 마지막 축복을 해주고 싶어서 인간을 창조하기로 결심했다. 그러나 그는 자신이 죽어가고 있다는 것을 알고 매우 서둘러서 그들에게 무릎을 만들어 주는 것을 잊었고, 아무 생각 없이 캥거루처럼 큰 꼬리를 만들어 주었는데, 그것은 그들이 앉을 수 없다는 것을 의미했다. 그러고 나서 그는 죽었다. 사람들은 캥거루 같은 꼬리가 있고 무릎이 없는 것을 싫어했고, 도움을 얻고자 하늘에 외쳤다. Dromerdeener는 그들의 외침을 듣고 무엇이 문제인지 보려고 Tasmania로 내려왔다. 그는 사람들을 불쌍히 여겨서 그들에게 구부러지는 무릎을 만들어 주고, 마침내 그들이 앉을 수 있도록 편안한(→ 불편한) 캥거루 같은 꼬리를 잘라 냈다.

16 molecule(분자)에 대한 영영풀이이다.

① liquid: 액체

② clone: 복제 생물; 복제하다

③ molecule: 분자

④ element: 요소

⑤ electricity: 전기

해석 그 자체로 존재할 수 있는 최소한의 화학 물질

17 exploration(탐험)에 대한 영영풀이이다.

① analysis: 분석

② automation: 자동화

③ classification: 분류

④ exploration: 탐험

⑤ transformation: 변형

해석 어떤 것에 대해 찾고 발견하는 활동

18 데이터가 전송되는 것이므로 수동태 문장으로 쓴다.

transmit: 전송하다

19 해석 콜로세움 하루 여행!

– 로마에 위치

– 세계 문화유산 보호지역

– 일주일 전에 예약하세요.

20 글의 흐름상 시끄러운 음악을 들으며 생산적으로 공부할 수 있다는 견해와 반대되는 주장과 내용이 나와야 하므로 ⑤는 inefficiently(비효율적으로)로 바꾸는 것이 자연스럽다.

① support: 지지하다, 후원하다

② productively: 생산적으로

③ loud: 시끄러운

④ improve: 향상시키다

⑤ efficiently: 효율적으로

해석 많은 십 대들은 TV나 라디오를 켜 둔 채로 공부를 더 잘할 수 있다고 주장한다. 일부 전문가들은 실제로 그들의 견해에 지지한다. 그들은 많은 십 대들이 어린 시절부터 '배경 소음'에 반복적으로 노출되어 왔기 때문에 전혀 이상적이지 않은 상황에서 실제로 생산적으로 공부할 수 있다고 주장한다. 이 교육 전문가들은 아이들이 TV, 비디오 게임, 그리고 시끄러운 음악 소리에 익숙해져 있다고 주장한다. 그들은 또한 숙제를 할 때 학생들이 TV나 라디오를 꺼야 한다고 주장하는 것이 반드시 그들의 학업 성적을 향상시키는 것은 아니라고 주장한다. 그러나 이 견해는 분명히 일반적으로 공유되는 것은 아니다. 많은 교사들과 학습 전문가들은 시끄러운 환경에서 공부하는 학생들이 흔히 효율적으로(→ 비효율적으로) 학습한다는 것을 그들 자신의 경험으로 확신한다.

Secret Word Puzzle 62쪽

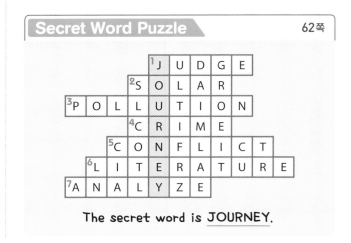

The secret word is JOURNEY.

7일 끝!

어휘 모아 보기

Book 2

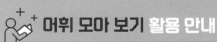 **어휘 모아 보기 활용 안내**

💎 5일간 학습한 **일별 어휘** 한꺼번에 확인하기!

💎 **어휘 테스트**를 통해 **한 번 더** 체크하기!

1일

- [ ] acid 몡 산
  혱 1. 산성의
  2. (맛이) 신
  3. 신랄한

- [ ] atmosphere 몡 대기, 공기; 분위기

- [ ] construct 통 건설하다

- [ ] construction 몡 건설

- [ ] damage 통 손상시키다
  몡 피해, 손상

- [ ] destroy 통 파괴하다

- [ ] destruction 몡 파괴

- [ ] drought 몡 가뭄

- [ ] endangered 혱 멸종 위기의

- [ ] excess 몡 과잉

- [ ] flood 몡 홍수

- [ ] fuel 몡 연료
  통 연료를 공급하다

- [ ] glacier 몡 빙하

- [ ] greenhouse 몡 온실

- [ ] humid 혱 습한, 눅눅한

- [ ] humidity 몡 습도, 습기

- [ ] ozone 몡 오존

- [ ] pollute 통 오염시키다

- [ ] pollution 몡 오염, 공해

- [ ] preservation 몡 보존, 보호

- [ ] preserve 통 지키다. 보존하다

- [ ] recycle 통 재활용하다

- [ ] reduce 통 줄이다, 감소시키다

- [ ] reduction 몡 감소, 삭감

- [ ] rescue 통 구조하다
  몡 구조, 구출

- [ ] rescuer 몡 구조자

- [ ] reusable 혱 재사용할 수 있는

- [ ] reuse 통 재사용하다

- [ ] sauce 소스, 양념

☐ **shortage** 명 부족, 결핍(lack)

☐ **solar** 형 태양의, 태양열을 이용한

☐ **source** 명 원천, 출처, 정보원

☐ **spill** 명 유출, 엎지름
　　　　 동 엎지르다, 흘리다

☐ **tropical** 형 열대의, 열대 지방의

☐ **waste** 명 쓰레기, 폐기물

2일

☐ **agree** 동 동의하다, 일치하다

☐ **agreement** 명 동의, 합의, 협정

☐ **break** 동 어기다; 깨다

☐ **colonial** 형 식민지의

☐ **colony** 명 식민지

☐ **community** 명 지역 사회, 공동체

☐ **conflict** 명 갈등, 대립, 충돌
　　　　　 동 충돌하다, 대립하다

☐ **cooperate** 동 협력하다, 협조하다

☐ **cooperation** 명 협력, 협조

☐ **crime** 명 범죄, 범행

☐ **criminal** 형 범죄의
　　　　　 명 범죄자

☐ **dependence** 명 의존

☐ **dependent** 형 의존하는

☐ **diplomacy** 명 외교(술)

☐ **diplomat** 명 외교관

☐ **divide** 동 분리하다, 나누다

☐ **evidence** 명 증언, 증거

☐ **evident** 형 명백한

☐ **free** 형 자유로운; 공짜의

☐ **freedom** 명 자유

☐ **govern** 동 다스리다, 통치하다

☐ **government** 명 통치; 정부

☐ **guilty** 형 유죄의

☐ **independence** 명 독립

☐ **independent** 형 독립한

☐ **innocent** 형 무죄의, 결백한

☐ **judge** 명 판사, 심판
통 판단하다, 판정하다

☐ **judg(e)ment** 명 판단, 판결

☐ **liberty** 명 자유

☐ **negotiate** 통 협상하다, 교섭하다

☐ **negotiation** 명 협상, 교섭

☐ **obey** 준수하다

☐ **population** 명 인구, 주민

☐ **private** 형 사적인

☐ **proof** 명 증거

☐ **public** 명 대중, 일반 사람들
형 공공의, 대중의; 공적인

☐ **punish** 통 벌주다, 처벌하다

☐ **punishment** 명 처벌

☐ **relate** 통 관련시키다

☐ **relationship** 명 관계(relation)

☐ **responsibility** 명 책임

☐ **responsible** 형 책임이 있는

☐ **secure** 형 안전한
통 안전하게 하다

☐ **security** 명 안전, 보안

☐ **socialization** 명 사회화

☐ **socialize** 통 사회화하다

☐ **unification** 명 통일

☐ **unify** 통 통일하다, 통합하다

☐ **unite** 통 통합하다

☐ **violate** 통 어기다, 위반하다

☐ **well-being** 명 복지

☐ **welfare** 명 복지, 복리

3일

☐ **architect** 몡 건축가

☐ **architecture** 몡 건축

☐ **autobiography** 몡 자서전

☐ **biography** 몡 전기

☐ **civilization** 몡 문명(사회)

☐ **civilize** 동 문명화하다, 개화하다

☐ **civilized** 혱 문명적인, 개화한

☐ **compose** 동 작곡하다; 구성하다

☐ **composer** 몡 작곡가

☐ **composition** 몡 작문, 작곡; 구성

☐ **criticism** 몡 비평, 평론

☐ **criticize** 동 비평하다, 비판하다

☐ **custom** 몡 1. 관습, 풍습
            2. 습관
            3. 세관

☐ **dedicate** 동 바치다, 헌신하다

☐ **dedication** 몡 헌납, 봉헌

☐ **devote** 동 헌신하다

☐ **diverse** 혱 다양한

☐ **diversity** 몡 다양성

☐ **exhibit** 동 진열하다, 전시하다
           몡 전시품

☐ **exhibition** 몡 전시회, 전시

☐ **faith** 몡 신앙심; 믿음, 신뢰

☐ **faithful** 혱 충실한, 신뢰할 만한

☐ **festival** 몡 축제
            혱 축제의

☐ **folk** 혱 민속의, 전통적인
          몡 민속 음악, 민요

☐ **gallery** 몡 화랑, 미술관

☐ **genre** 몡 장르, 종류

☐ **heritage** 몡 유산, 전통

☐ **holy** 혱 성스러운

☐ **literary** 혱 문학의

☐ **literature** 몡 문학

☐ **poem** 몡 (한 편의) 시

☐ **poetry** 몡 (집합적) 시

☐ **publication** 몡 출판

☐ **publish** 동 출판하다, 발행하다

☐ **religion** 몡 종교, 신조

☐ **religious** 혱 종교의, 독실한

☐ **sacred** 혱 신성한, 성스러운

☐ **sacrifice** 동 희생하다
　　　　　 몡 희생

☐ **sculptor** 몡 조각가

☐ **sculpture** 몡 조각, 조각품
　　　　　　 동 조각하다

☐ **spirit** 몡 정신, 마음, 영혼

☐ **spiritual** 혱 정신의, 정신적인

☐ **variety** 몡 다양성

☐ **various** 혱 다양한

☐ **visible** 혱 보이는, 알아볼 수 있는

☐ **vision** 몡 시각, 시력; 통찰력

☐ **visual** 혱 시각의, 눈에 보이는

4일

☐ **accommodate** 동 편의를 제공하다

☐ **accommodation** 몡 숙박시설; 편의

☐ **adventure** 몡 모험

☐ **adventurous** 혱 모험을 좋아하는, 모험적인

☐ **amateur** 몡 비전문가, 아마추어

☐ **athlete** 몡 운동선수, 경기자

☐ **athletic** 혱 운동선수의, 운동경기의

☐ **cheer** 몡 환호, 응원
　　　　 동 응원하다, 기분 좋게 하다

☐ **cheerful** 혱 발랄한, 기분이 좋은

☐ **compete** 동 경쟁하다

☐ **competition** 몡 경쟁, 대회

☐ **competitive** 혱 경쟁의, 경쟁적인

☐ **defeat** 명 패배
　　　　　통 (상대방을) 패배시키다, 이기다

☐ **delay** 명 지연, 연기
　　　　통 지연시키다, 미루다

☐ **destination** 명 목적지, 도착지

☐ **destiny** 명 운명, 숙명

☐ **enemy** 명 적, 적수

☐ **entertain** 통 즐겁게 해 주다

☐ **entertainment** 명 연예, 오락물

☐ **fashion** 명 유행, 인기, 패션

☐ **flight** 명 1. 항공편
　　　　　　 2. 비행
　　　　　　 3. 도주

☐ **fly** 통 날다(-flew-flown)
　　　 명 파리

☐ **fright** 명 공포

☐ **journey** 명 (주로 육지에서의 긴) 여행

☐ **leisure** 명 여가, 틈

☐ **leisurely** 형 느긋한, 여유로운
　　　　　　 부 느긋하게

☐ **magazine** 명 잡지

☐ **merry** 형 즐거운

☐ **opponent** 명 상대, 적수
　　　　　　 형 반대의

☐ **oppose** 통 반대하다

☐ **passport** 명 여권

☐ **postpone** 통 연기하다

☐ **professional** 형 전문적인, 직업의
　　　　　　　 명 전문직 종사자

☐ **relax** 통 휴식을 취하다, 긴장을 풀다

☐ **relaxation** 명 휴식

☐ **reservation** 명 예약; 보류

☐ **reserve** 통 예약하다

☐ **reserved** 형 예약한; 보류한; 소심한

☐ **resort** 명 휴양지; 의지
　　　　　통 의지하다

☐ **rival** 명 경쟁자

☐ **scenery** 명 경치, 풍경

☐ **scenic** 형 경치가 좋은

☐ **sightseeing** 명 관광

☐ **souvenir** 명 기념품, 선물

☐ **trend** 명 경향, 추세(tendency); 유행(fashion)

☐ **triumph** 명 승리

☐ **victory** 명 승리

☐ **visa** 명 비자, 사증(출입국 허가증)

☐ **win** 동 (경쟁, 전쟁, 경기 등에서) 이기다

5일

☐ **access** 명 접근
　　　　 동 접근하다

☐ **accessible** 형 이용 가능한, 접근하기 쉬운

☐ **analysis** 명 분석

☐ **analyst** 명 분석가, 애널리스트

☐ **analytic** 형 분석적인

☐ **analyze** 동 분석하다

☐ **approach** 동 접근하다

☐ **atom** 명 원자

☐ **atomic** 형 원자의

☐ **automatic** 형 자동의
　　　　　 명 자동 장치

☐ **automation** 명 자동화

☐ **chemical** 명 화학 물질
　　　　　 형 화학의, 화학적인

☐ **classification** 명 분류

☐ **classify** 동 분류하다

☐ **clone** 명 복제 생물
　　　　 동 복제하다

☐ **count** 동 중요하다

☐ **device** 명 1. 장치, 기기
　　　　　 2. 방법, 방책

☐ **devise** 동 고안하다

☐ **discover** 동 발견하다

☐ **discovery** 명 발견

☐ **e-commerce** 명 전자 상거래(electronic commerce)

☐ **efficiency** 명 효율(성), 능률

☐ **efficient** 형 효율적인

☐ **electric** 형 전기의

☐ **electricity** 명 전기, 전력

☐ **engineering** 명 공학

☐ **evaporate** 동 증발하다, 사라지다

☐ **exploration** 명 탐험

☐ **explore** 동 탐험하다; 탐색하다

☐ **genetic** 형 유전의, 유전자의

☐ **genetics** 명 유전학

☐ **laboratory** 명 실험실, 실습실(lab)

☐ **liquid** 명 액체
　　　　 형 액체의

☐ **matter** 명 1. 물질, 재료
　　　　 2. 문제, 일
　　　　 동 중요하다

☐ **microscope** 명 현미경

☐ **mix** 동 섞다, 혼합하다
　　　 명 혼합

☐ **mixture** 명 혼합물

☐ **molecular** 형 분자의

☐ **molecule** 명 분자

☐ **science** 명 과학

☐ **scientific** 형 과학의, 과학적인

☐ **scientist** 명 과학자

☐ **solid** 명 고체
　　　 형 고체의, 단단한

☐ **telescope** 명 망원경

☐ **theory** 명 이론

☐ **transform** 동 변형시키다

☐ **transformation** 명 변형

☐ **transmission** 명 전송

☐ **transmit** 동 전송하다

☐ **vapor** 명 증기
　　　 동 증발하다

1일 영어는 우리말로, 우리말은 영어로 쓰세요.

01 damage _____

02 atmosphere _____

03 glacier _____

04 humid _____

05 pollution _____

06 reduce _____

07 shortage _____

08 endangered _____

09 tropical _____

10 waste _____

11 acid _____

12 drought _____

13 flood _____

14 ozone _____

15 solar _____

16 spill _____

17 reuse _____

18 fuel _____

19 preserve _____

20 rescue _____

21 파괴 _____

22 온실 _____

23 재사용할 수 있는 _____

24 원천, 출처, 정보원 _____

25 건설 _____

26 감소, 삭감 _____

27 건설하다 _____

28 소스, 양념 _____

29 부족, 결핍 _____

30 오염, 공해 _____

31 손상시키다; 피해, 손상 _____

32 습도, 습기 _____

33 과잉 _____

34 보존, 보호 _____

35 오염시키다 _____

36 대기, 공기; 분위기 _____

37 재활용하다 _____

38 파괴하다 _____

39 구조자 _____

40 멸종 위기의 _____

2일 영어는 우리말로, 우리말은 영어로 쓰세요.

01	conflict		21	관련시키다	
02	relationship		22	독립한	
03	govern		23	동의하다, 일치하다	
04	public		24	명백한	
05	independence		25	범죄의; 범죄자	
06	agreement		26	사적인	
07	innocent		27	사회화하다	
08	punish		28	안전한; 안전하게 하다	
09	crime		29	외교(술)	
10	welfare		30	의존	
11	socialization		31	자유	
12	colony		32	통일하다, 통합하다(unite)	
13	security		33	판사, 심판; 판단하다, 판정하다	
14	violate		34	협력, 협조	
15	diplomat		35	협상, 교섭	
16	population		36	통치; 정부	
17	evidence		37	판단, 판결	
18	community		38	유죄의	
19	responsible		39	책임	
20	negotiate		40	통일	

3일 영어는 우리말로, 우리말은 영어로 쓰세요.

01	poetry		21	민속의, 전통적인; 민속 음악, 민요	
02	architecture		22	장르, 종류	
03	custom		23	축제; 축제의	
04	diverse		24	화랑, 미술관	
05	civilization		25	(한 편의) 시	
06	literary		26	건축가	
07	dedicate		27	다양성	
08	criticism		28	문명적인, 개화한	
09	visual		29	문학	
10	sacred		30	비평하다, 비판하다	
11	faith		31	시각, 시력; 통찰력	
12	heritage		32	자서전	
13	composer		33	작문, 작곡; 구성	
14	biography		34	전시회, 전시	
15	sculpture		35	정신의, 정신적인	
16	religion		36	조각가	
17	exhibit		37	종교의, 독실한	
18	publish		38	출판	
19	sacrifice		39	충실한, 신뢰할 만한	
20	spirit		40	헌납, 봉헌	

4일 영어는 우리말로, 우리말은 영어로 쓰세요.

01	scenery	_____
02	trend	_____
03	sightseeing	_____
04	journey	_____
05	souvenir	_____
06	adventure	_____
07	visa	_____
08	opponent	_____
09	victory	_____
10	leisure	_____
11	passport	_____
12	athlete	_____
13	fashion	_____
14	magazine	_____
15	professional	_____
16	delay	_____
17	defeat	_____
18	flight	_____
19	cheer	_____
20	relax	_____

21	휴식	_____
22	경쟁, 대회	_____
23	목적지, 도착지	_____
24	숙박시설; 편의	_____
25	연예, 오락물	_____
26	예약; 보류	_____
27	휴양지; 의지; 의지하다	_____
28	(경쟁, 전쟁, 경기 등에서) 이기다	_____
29	경쟁의, 경쟁적인	_____
30	경치가 좋은	_____
31	공포	_____
32	느긋한, 여유로운; 느긋하게	_____
33	모험을 좋아하는, 모험적인	_____
34	반대하다	_____
35	발랄한, 기분이 좋은	_____
36	비전문가, 아마추어	_____
37	예약하다	_____
38	운동선수의, 운동경기의	_____
39	운명, 숙명	_____
40	편의를 제공하다	_____

5일 영어는 우리말로, 우리말은 영어로 쓰세요.

01	engineering		21	고안하다	
02	scientific		22	장치, 기기; 방법, 방책	
03	matter		23	접속, 접근; 접근하다	
04	discovery		24	탐험하다; 탐색하다	
05	clone		25	변형시키다	
06	classify		26	이론	
07	analyze		27	전송	
08	molecule		28	증기; 증발하다	
09	laboratory		29	고체; 고체의, 단단한	
10	liquid		30	과학	
11	genetic		31	발견하다	
12	automatic		32	분류	
13	electric		33	분석	
14	e-commerce		34	분자의	
15	mixture		35	탐험	
16	chemical		36	원자	
17	efficiency		37	유전학	
18	transmit		38	이용 가능한, 접근하기 쉬운	
19	telescope		39	자동화	
20	transformation		40	전기, 전력	

1일

01 손상시키다; 피해, 손상   02 대기, 공기; 분위기   03 빙하   04 습한, 눅눅한   05 오염, 공해   06 줄이다, 감소시키다   07 부족, 결핍   08 멸종 위기의   09 열대의, 열대 지방의   10 쓰레기, 폐기물   11 산; 산성의; (맛이) 신; 신랄한   12 가뭄   13 홍수   14 오존   15 태양의, 태양열을 이용한   16 유출, 엎지름; 엎지르다, 흘리다   17 재사용하다   18 연료; 연료를 공급하다   19 지키다, 보존하다   20 구조하다; 구조, 구출   21 destruction   22 greenhouse   23 reusable   24 source   25 construction   26 reduction   27 construct   28 sauce   29 shortage   30 pollution   31 damage   32 humidity   33 excess   34 preservation   35 pollute   36 atmosphere   37 recycle   38 destroy   39 rescuer   40 endangered

2일

01 갈등, 충돌; 충돌하다, 대립하다   02 관계   03 다스리다, 통치하다   04 대중, 일반 사람들; 공공의, 대중의; 공적인   05 독립   06 동의, 합의, 협정   07 무죄의, 결백한   08 벌주다, 처벌하다   09 범죄, 범행   10 복지, 복리   11 사회화   12 식민지   13 안전, 보안   14 어기다, 위반하다   15 외교관   16 인구, 주민   17 증언, 증거   18 지역 사회, 공동체   19 책임이 있는   20 협상하다, 교섭하다   21 relate   22 independent   23 agree   24 evident   25 criminal   26 private   27 socialize   28 secure   29 diplomacy   30 dependence   31 freedom   32 unify   33 judge   34 cooperation   35 negotiation   36 government   37 judg(e)ment   38 guilty   39 responsibility   40 unification

3일

01 (집합적) 시   02 건축   03 관습, 풍습; 습관; 세관   04 다양한   05 문명(사회)   06 문학의   07 바치다, 헌신하다   08 비평, 평론   09 시각의, 눈에 보이는   10 신성한, 성스러운   11 신앙심; 믿음, 신뢰   12 유산, 전통   13 작곡가   14 전기   15 조각, 조각품; 조각하다   16 종교, 신조   17 진열하다, 전시하다; 전시품   18 출판하다, 발행하다   19 희생하다; 희생   20 정신, 마음, 영혼   21 folk   22 genre   23 festival   24 gallery   25 poem   26 architect   27 diversity(variety)   28 civilized   29 literature   30 criticize   31 vision   32 autobiography   33 composition   34 exhibition   35 spiritual   36 sculptor   37 religious   38 publication   39 faithful   40 dedication

4일

01 경치, 풍경   02 경향, 추세; 유행   03 관광   04 (주로 육지에서의 긴) 여행   05 기념품, 선물   06 모험

07 비자, 사증(출입국 허가증)   08 상대, 적수; 반대의   09 승리   10 여가, 틈   11 여권   12 운동선수, 경기자

13 유행, 인기, 패션   14 잡지   15 전문적인, 직업의; 전문직 종사자   16 지연, 연기; 지연시키다, 미루다

17 패배; (상대방을) 패배시키다, 이기다   18 항공편; 비행; 도주   19 환호, 응원; 응원하다, 기분 좋게 하다

20 휴식을 취하다, 긴장을 풀다   21 relaxation   22 competition   23 destination   24 accommodation

25 entertainment   26 reservation   27 resort   28 win   29 competitive   30 scenic   31 fright

32 leisurely   33 adventurous   34 oppose   35 cheerful   36 amateur   37 reserve   38 athletic

39 destiny   40 accommodate

5일

01 공학   02 과학의, 과학적인   03 물질, 재료; 문제, 일; 중요하다   04 발견   05 복제 생물; 복제하다

06 분류하다   07 분석하다   08 분자   09 실험실, 실습실   10 액체; 액체의   11 유전의, 유전자의, 유전적인

12 자동의; 자동 장치   13 전기의   14 전자 상거래   15 혼합물   16 화학 물질; 화학의, 화학적인

17 효율(성), 능률   18 전송하다   19 망원경   20 변형   21 devise   22 device   23 access   24 explore

25 transform   26 theory   27 transmission   28 vapor   29 solid   30 science   31 discover

32 classification   33 analysis   34 molecular   35 exploration   36 atom   37 genetics

38 accessible   39 automation   40 electricity